新潮文庫

悲嘆の門

上巻

宮部みゆき著

新潮社版

10818

目次

悲嘆の門

上巻

プロローグ

雨粒が窓を叩《たた》く。外は冬の嵐《あらし》だ。雲は重く垂れ込め、ビルの谷間で風が唸《うな》る。

雨粒はリズミカルに窓を叩く。まるで気短なノックのように、数知れない小さな拳《こぶし》が、古びた木枠のなかで傾《かし》いだガラスを叩く。

パテが痩《や》せてガラスの傾いだ窓の内側には、幼い女の子が頬杖《ほおづえ》をついていた。額と鼻の頭が、ほとんどガラスにくっつきそうだった。隙間《すきま》風に、女の子の不揃《ふぞろ》いな前髪がときおりふわりと舞い上がる。

六畳一間のアパート。女の子の後ろでは、彼女の母親が窓に背を向け、薄い布団《ふとん》にくるまって眠っている。木造二階建て、女の子はおろか彼女の母親が生まれる二十年も前からここに建っている老朽アパートは、強い西風が吹きつけるたびに、土台から震える。

女の子が細い息を吐くと、その温《ぬく》もりでガラスは一瞬だけ白く曇り、すぐ元に戻る。

室内は冷え切っていた。女の子は頭からすっぽり母親のコートをかぶっていた。小一時間前にトイレに起きたとき、母親がそうしてやったのだ。裏地が破れ、くたびれきったコートだが、それでもウール製で生地は分厚く、重たい。女の子は顔だけを覗《のぞ》かせて、コートのなかに潜っている。

つい一昨日《おととい》、女の子は五歳の誕生日を迎えた。同じ日に、この部屋の電気が停められた。母子《ははこ》の窮状を察し、集金係もずいぶん融通をきかせてくれたのだが、

――滞納が十ヵ月分になるからね、一度は停めないといけないんだ。ひと月分でいいから、何とか工面《くめん》して入れてくれないか。そしたらすぐ電気を使えるようにしてあげられる。

ほかにもいろいろと、集金係は話をしてくれた。区役所に相談しなさい。大家さんに聞けば、民生委員を紹介してもらえるんじゃないか。とにかくこのままじゃいけないよ。奥さんは具合が悪そうだし、子供さんは小さいんだから。

はい、はいと、女の子の母親は答えた。そうしてみます。ご親切にありがとう。ひと月分くらいの電気代なら、すぐ工面できます。ええ、友達に頼んでみます。営業所

へ行けばいいんですね？

私に電話しなさいと、集金係は言った。すぐ来てあげるから。電話は使える？　電話代はあるかい？　あります、ありますと母親は答えた。携帯電話はとっくに使えなくなっているけれど、公衆電話からかけますから。

　集金係が去った後、しかし女の子の母親は寝込んでしまった。集金係が言うとおり、彼女は具合が悪かった。集金係が察しているよりも、もっとずっと具合が悪かった。トイレへ行って戻るだけでも、まともに歩くことができずに這《は》うようだった。

　母親のそばについていると、彼女の熱で温かい。だが母親は女の子を遠ざける。ごめんね、でも風邪が感染《うつ》っちゃうから。いい子にしていてね。少し寝ていれば、ママ治るから。

　そうして、ずっと寝ている。ずっと温かい。熱いほどに温かい。なのに母親に触れると、その身体《からだ》が震えていることが女の子にもわかった。母親が咳《せ》き込むと、その痩せた身体がヘンなふうによじれるみたいになるのもわかった。

　今、何時だろう。空が真っ暗なので、もう夜みたいだ。薄暗い六畳一間には、蛍光色にほのかに光る目覚まし時計がひとつあるが、女の子はまだ時計がうまく読めないのだ。

一陣の突風が吹きつけて、老いぼれアパートがまた胴震《どうぶる》いするように揺れた。

女の子は何度かテレビをつけてみようとして、どのスイッチを押しても駄目だと知った。電気が停まるとテレビも見えない。それがまだ、女の子には理解できなかった。母子はこれまで様々な困難に直面してきたし、電気が使えなくなってしまうのも初めてではない。だが女の子はあまりに幼く、母親が直面しては乗り越えてきた困難の質も、その理由も、その原因もわからなかった。

そして、今度という今度は乗り越えられないかもしれないという、不吉な可能性も。

――寒いときでよかった。冷蔵庫の中身が腐らないから。

集金係が帰ったあと、母親はそう言った。

――おなかが空《す》いたら、何か食べるのよ。マナちゃんの好きなクマちゃんのパンがあるからね。

クマちゃんのパンは、とっくに食べてしまった。冷蔵庫の中身が腐らないのも気温が低いからではなく、もともと中身なんてないからだった。空っぽなのだ。

女の子は飢えていた。女の子は寒かった。今、高熱にうかされて、襲いかかってくる激しい咳の発作に身体を揺さぶられるとき以外はうつらうつらと夢を見ている母親よりも、女の子が感じている飢えと寒さは厳しかった。

ガラス窓を雨粒が打つ。大勢の小さな拳がノックするように急《せ》き込んで。出ておいで、出ておいで、出ておいで。そこにいちゃいけないよ。ママは病気だ。誰かに言わなくちゃいけないよ。ママが病気で、あたしは寒くておなかがぺこぺこだって言わなくちゃいけないよ。

女の子はまだ、うまくしゃべることができない。生活に追われ、女の子は保育園にも幼稚園にも行ったことがなかった。母子は社会という大きなケーキからそっくりスプーンですくい取られている。そのスプーンは冷え冷えとして宙に浮いているだけで、母子をどこかに運んでくれることも、おろしてくれることもなかった。

女の子はガラス窓に息を吹きかけた。おなかは空っぽだけど、息は出てくる。ガラスが曇る。すぐ元に戻る。分厚い雲から降り注ぐ銀色の雨脚が見える。

女の子はこのアパートが好きだった。遠くに大きなビルがたくさん建ち並んでいるのが見えるからだ。その窓という窓に明かりがつき、まるでクリスマスツリーみたいだ。

ここへ来たとき、ママは教えてくれた。あのビルはみんな、四十階ぐらいあるのよ。とっても高いの。すごく速いエレベーターに乗らないと、てっぺんまで行かれないの。あのビルの群れと、この古びた建物の寄り集まった町の一角は、けっして遠く離れているわけではない。大人の足なら歩いて行き来できる距離だ。現にたくさんの人が歩いているのを、女の子は見たことがある。

彼方《かなた》のビル群とこのアパートのあいだにも、建物はたくさんある。町は建物に埋め尽くされているのだ。クリスマスみたいなあのビル群からひとつを取り出して小さく縮めたみたいなものもあれば、横に平たい灰色の建物もある。大きな赤い屋根がついている家もあるし、灰色の屋根がデコボコしている家もある。いちばん多いのは、夜になると派手な明かりがつく看板を載せた建物だ。小さいのもあれば大きいのもある。きれいなのもあれば薄汚れているのもある。

色や形や大きさのほかに、女の子にとってもっとも大事な違いは、その建物に明かりがつくかどうかということだった。女の子は町の明かりが好きだった。建物が放つ色とりどりの光。みんなクリスマスツリー。いつだってクリスマスだ。

だから目に入る景色のなかで、たったひとつだけ、いつどんなときでも明かりがつかないある建物が、女の子は怖かった。アパートのこの窓から、まっすぐ正面に見える。今、雨に煙《けむ》る夕闇《ゆうやみ》のなかでも、その建物だけは黒々と沈んでいる。

数の数え方は、ママが教えてくれた。ひとつ、ふたつと指を折るのだ。あるいは指さして、声をあげて数えていく。そのやり方でいくと、その建物はこのアパートから信号を三つ渡った先にあった。本当は建物の数で数えたいのだけれど、両手の指の数を超えると、女の子にはまだわからない。だから信号を数えるのだった。

風変わりな形の建物だった。ママはあれもビルだと教えてくれたけれど、遠くに見える四十階もあるビルの群れとは形が違うし、もう少し近くに見える、壁がみんなガラスになっているビルとも違う。

女の子はそれを、クッキーの缶にそっくりだと思った。ずいぶん前に、ママがお客さんにもらったというクッキーの缶。ミッキーマウスの絵がついていた。中にはココア味のクッキーが入っていた。

――こういう形を、〈つつ〉というのよ。

ママはそう教えてくれた。

――いつもクッキーが入ってるわけじゃないわ。お茶とか、キャンディとか、中身はいろいろなの。

その筒型のビルは、女の子が窓から外を見れば、そこにある。女の子と、彼方にあるクリスマスのようにきらびやかな高層ビル群とのあいだに、黒い杭《くい》でも打ち込んだように。

いち、にぃ、さん。ママと一緒に指さして数えると、その筒型のビルは四階建てだった。

――きっと、使われていないのね。

誰も住んでいないんでしょうと、ママは言った。

空っぽなのだ。だから明かりがつかない。人が出入りすることもないのだろう。昼間の明るいときに見ても、窓が開け閉《た》てされることはなかった。

その筒型のビルは、てっぺんもちょっと変わっていた。手すりではなく、規則正しくデコボコした壁がぐるりを巡っているのだ。そしてその一角の壁が切れたところ、女の子から見ると向かって左の端に、何かが座っているのだった。

初めて見たときは、人だと思った。このアパートに越してきたその日の昼間で、だからあのビルに明かりがつかないことに気づくよりも前。ママ、ママ、あんなところに誰か座ってる！

女の子と一緒に窓から覗いたママも、最初は驚いた。それからちょっと首を動かしたり伸び上がったりしてよく観察すると、

――あれは人じゃないわ。マナちゃん、あそこに何か銅像みたいなものがあるのよ。きっと屋上の飾りね。

銅像。置物だというのだ。

――公園で見たことがあるでしょう？　でも、あれはちょっと珍しいわね。

そうなのだ。ほかでは見たことがない。女の子が「誰かが座っている」と言ったのは、ほかに言い様がなかったからだ。あれは「誰か」じゃない。だって背中に翼があるんだもの。

翼のある背中を丸め、大きな足を縮めて、楔《くさび》のような黒いビルの屋上にうずくまる、あれは何だ。

女の子の目には、それは怪物だった。テレビで観《み》る映画や、絵本のなかに出てくる闇の怪物。翼を広げて舞い上がり、鋭い鉤爪《かぎづめ》で人を襲う。近くへ行って、できるならあの屋上に登って、よく見てみたい。でも、近づいたらあれが動き出すかもしれない。だってあれは怪物だもの。

女の子は毎日、怪物を見ていた。それが動かないことを、こっちに近づいてこないことを確かめるために。窓から眺める大好きな景色のなかにうずくまっている怪物を。

冬の嵐のなか、自分の呼気だけを温もりに、母親のコートをかぶって窓から外を眺めている女の子の前で、銀の雨粒に打たれながら、今夜もあの怪物はそこにいた。雨脚が激しいせいで、ときどきよく見えなくなる。そのたびに女の子は目を凝らした。

怪物はあそこにいる。ただの置物なんだ。怖くなんかない。

五歳の女の子の背後では、彼女のたった一人の保護者であると同時に、自身も切実に保護を必要としている母親が、肺炎で死にかけている。死がそこに迫っていることを、女の子は知らない。死を知識として理解するには、まだ幼すぎるからだ。

だが、生きものとしての彼女の本能は知っている。死がやってくることを。母親を迎えにやってくる。疲労と困窮のうちに力尽きようとしている不運なシングルマザーを連れ去り、彼女の一人子《ひとりご》、「マナ」という名を呼ぶ者さえ母親しかいない女の子を、この六畳間の暗がりに置き去りにするために。

死が迫り来る。女の子はそれを感じている。母に寄り添うことを禁じられ、窓から外を眺めるだけ。しかし女の子は見張っているのだ。今、死がどこまできているか。それはあの怪物が教えてくれる。あれが動いたら、背中の翼を広げたら、あのデコボコした壁を蹴《け》って舞い上がったならば。

毎日、毎日、あの怪物を見ていたのは、いけないことだったのだろうか。ずっと見ていたから、あいつがママとマナに気づいてしまったのだろうか。

またママが激しく咳き込み、その喉《のど》が鳴った。窓から吹き込む隙間風そっくりの、ひゅうひゅうという喘鳴《ぜんめい》。

雨が窓を濡《ぬ》らし、視界がぼける。女の子は小さな手でガラスを拭《ぬぐ》う。その冷たさに、腕に鳥肌が立った。

怪物がこっちにくる。動き出す。見ていた方が怖くないか。見ない方が怖くないか。ママの布団に潜り込み、その背中に背中をぴったりと押しつけて。

ママ、怪物がくる。

母親の喉が、空気を求めて空《むな》しくあえぐ。

そのときだった。

真っ黒な杭のような廃ビルの屋上に、突然、何か大きな影が現れた。うずくまるあの怪物のすぐそばに、ふわりと舞い降りるように。

そう、それには動きがあった。スイッチを押してぱちりとついたというふうではなく、何か物陰から現れたというのでもなく、まさに降りてきた。

——空から降りてきた。

分厚い雲のなかから、銀色の雨のつぶての向こうに。

うずくまるあの怪物よりも、新しく現れた影は大きかった。その漆黒のシルエットは人の形をしていた。髪が長い。手足も長い。

そしてその背中にも、翼があった。

第一章　砂漠のなかの一粒の砂

1

あくびを噛《か》み殺しながら自転車を引っ張り出していたら、甲高い声がした。

「コウちゃん、ちょっとちょっと」

底の分厚いサボをカタカタ鳴らして駆け寄ってくる。賑《にぎ》やかなのは音声だけではない。金髪に真っ赤なエプロン、花柄のセーターに縞《しま》のパンツ。華やかというよりぎんぎらしている。いつものハナコおばちゃんだ。

「朝っぱらから元気だね、おばちゃん」

三《み》島《しま》孝《こう》太《た》郎《ろう》がそう言うと、おばちゃんはくっきりと描いた茶色い眉《まゆ》を持ち上げた。

「ヤダねえ、朝、元気がなかったら、あたしみたいな年寄りはいつ元気になるのよ」

口ではそんなことを言ってみせるけれど、この人は、自分が年寄りだなんて百分の一秒のあいだも自覚したことがないはずだ。

「それに、もう朝っていう時間じゃないわよ。コウちゃん、遅刻でしょう」

「今日は午後から授業なんだよ」

「そんなんで学校って言えるのかねえ」

「立派な学校だよ。ミカが大学生になれば、おばちゃんにもわかるって」

「そうそう、そのミカのことで、コウちゃんに内緒で相談があるんだ」


孝太郎は、内心でそっとため息をついた。うちの玄関先に立って、こんなでかい声でしゃべってて、どこが内緒なんだよ。

ああ、だけどミカはとっくに学校へ行ってるか。中学一年なんだから。現在、午前十時五分過ぎ。おばちゃんにつかまらなかったら、孝太郎もバス通りを走っているころだ。駅からＪＲに乗って、東京駅で乗り換えて御茶ノ水駅まで。目的地への所要時間はおおよそ五十分だ。

孝太郎が暮らす東京都下のこの町は、絵に描いたようなベッドタウンである。実に計画的に、整然と、ほとんど数学的な美しさのある町並み。カラフルな歩道に小洒落《こじゃれ》た街灯の並ぶ一車線の道路沿いに、ぜんたいに似通ってはいるが微妙なオプションで差異をつけた建売住宅が並んでいる。ここを開発したデベロッパーが作った計画図と、販売会社がパンフレットに載せた完成予想図と、分譲が済んで人が住み着いた現在の町の案内図と、三つを比べてもほとんど違いがないはずだ。

但《ただ》し、この〈ほとんど〉が曲者《くせもの》なのである。計画通りに整然として美しい——というのは、町とか家とかいうハードウエアの面の話であって、そこに生身の住民が加わると、途端にカオスが生じてくる。三島家のお向かいの園井《そのい》家《け》の華子《はなこ》お祖母《ばあ》ちゃん、ハナコおばちゃんはそのカオスを体現する人物だった。

もっとも、本人はまったく気にしていない。ハナコおばちゃんは常にマイペースなので、付き合っていると本当に遅刻してしまう。また今度ねと言いたいところなのだが、「ミカのことで」というのが引っかかり、孝太郎は自転車のスタンドを立てた。

園井美香《みか》はおばちゃんの孫娘で、孝太郎の妹の一美《かずみ》と同じ中学校に通っており、軟式テニス部の一年後輩である。というか、一年先輩の一美が、美香を同じ部活に誘ったのだ。

二人は幼稚園のころからの幼馴染《おさななじ》みで、姉妹のように仲がいい。孝太郎にとっても、美香は妹みたいなものだ。

「美香がどうかしたの？」

「コウちゃん、パソコン詳しいんだろ？」

おばちゃんはおしゃべりだし、おしゃべりな人というのは大概そうだけど、会話が真《ま》っ直《す》ぐ進まない。それを厭《いと》って真っ直ぐ切り込むと、かえって手間がかかる。園井家とは、この人工的な町に住み着く前からの付き合いだ。歴史が長い。孝太郎はおばちゃんとの会話術を充分に心得ていた。

「そうでもないよ。フツーだよ」

「だってコウちゃん、パソコンの会社でバイトしてるじゃないか。お母さんに聞いたよ」

おばちゃんが〈お母さん〉と呼ぶのは、孝太郎の母親の三島麻子《あさこ》のことだ。孝太郎の父親の孝之《たかゆき》のことは、当然、〈お父さん〉と呼ぶ。そのくせ、美香の母親で自分の娘である女性のことは、〈貴子《たかこ》さん〉と名前で呼ぶ。実の娘なのだが、常にさん付けだ。

「バイトはしてるけど、パソコン会社じゃないよ。プログラムとかいじってるんじゃないしね」

「パソコンって、プログラムのことだろ」

「プログラムがないと動かないけど、イコールじゃないよ。えっと、だからさ、オレがバイトしてるのはおばちゃんがイメージしてるようなパソコン会社じゃないってこと。ンで、美香がどうかしたの？」

おばちゃんは、しゃべっているうちに何を言おうとしているのか忘れてしまうので、適宜サポートしてあげないといけない。

「美香がねえ……」

ハナコおばちゃんは、何かを警戒するかのように半眼になった。

「学校の裏で、何か悪口を書かれてるらしいんだよ」

孝太郎の両親の世代なら、このちょっと奇妙な発言を解釈する際、省略されている部分をこう推察するだろう。曰《いわ》く、「学校の裏門の近くの壁に悪口を落書きされている」と。

だが孝太郎は二一世紀の若者である。物心ついたときには、ネットは既に日常生活の一部になっていた。だから、すぐに正しく解釈することができた。

「それ、学校裏サイトの話？」

おばちゃんの瞳《ひとみ》がパッと晴れた。「そうそう、その裏サイトとかいうやつよ」

「嫌なことを書かれてるの？　おばちゃん、美香から話を聞いたの？」

「ううん、あの子、あたしには何も言わないんだ。でも昨日の夕方、貴子さんが学校に呼ばれてね。うちに帰ってきてから、ちょこっと説明してくれたんだけどさ。よくわかんなくって」

ただ、貴子さんがパソコン上のやりとりの話だと言っていたので、だったらパソコンに詳しいコウちゃんに教えてもらおうと思ったんだ、という。

「そっか」

孝太郎は少し考えた。ここで長引くと、ホントに遅刻だ。

「おばちゃん、オレもう出かけなくちゃならないからさ、とりあえずアドバイス。美香がおばちゃんに何も言わないなら、今んとこはおばちゃんも知らん顔してなよ」

「でも、貴子さんは学校に呼び出されたんだよ。えらい問題なんじゃないかね」

「近頃の公立学校は弱腰だから、ちょっとしたことでもすぐ親の顔色を覗《うかが》うんだよ。美香、今朝もう学校に行ったんだろ？」

「うん」

「だったら、そんなに心配要らないよ。一美が何か知ってるかもしれないから、オレも内緒でちょっと聞いてみる」

「ああ、そう……。でもさあ」

おばちゃんは気が短いので、こういうペンディングは何でも苦手だ。渋っているので、孝太郎は笑ってみせた。

「大丈夫だって。美香、部活で頑張ってるから、年明けの地区大会に出られそうだって、一美が言ってた。そんなの一年生部員じゃ珍しいんだ」

「そうなの。あの子は健《たけし》さんに似て、運動神経がいいからね」

健というのは、貴子さんの別れた旦那《だんな》だ。美香が生まれて間もなく離婚した。なのに、おばちゃんはどういうわけかこの健さんを気に入っていたらしく、折々に彼のことを口にする。

「じゃ、オレもう行かないと」

「気をつけてね。ちゃんと勉強してくるんだよ」

自転車にまたがり、孝太郎はこぎ出した。バス通りに向かう曲がり角で肩越しに振り返ると、おばちゃんが園井家に入っていくところだった。しょっちゅう膝《ひざ》が痛いってこぼしてるんだから、サボ履くのやめたらいいのになぁ。転んで骨折して寝たきりになったらどうすんだよ。

今日は十二月十五日。師走《しわす》のど真ん中だ。風は身を切るように冷たく、空は青く澄み渡っている。冬は、孝太郎が好きな季節だった。自転車ですっ飛ばすには、春より、秋より心地好《よ》い。

でも今朝は、少しばかり足が重くなった。

孝太郎がパソコンの会社でバイトしているというおばちゃんの認識は間違っていた

けれど、おばちゃんの心配の内容がああいうことであるならば、孝太郎に話を持ってきたのは、結果論的には正しかった。

——美香、裏サイトでいじめられてるのか。

調べてみなくちゃ。真岐《まき》さんに頼めば、何とかしてもらえるだろう。

三島孝太郎、十九歳と三ヵ月。都内にキャンパスがあるそこそこの大学の教育学部に籍を置く大学一年生である。

その大学に入ったのも、教育学部に入ったのも、孝太郎の選択の結果ではない。ほかは全部おっこちて、そこしか入れなかったのだ。いわば運命が勝手に（かつシビアに）選択してくれた結果である。

将来、教師になる気はない。仮にこっちがその気になったとしても、現在、東京都内には学校教師のなり手は山ほどいて、職はない。絶望的に、ない。

「お兄ちゃん、お先真っ暗じゃない。どうすンの？」

「どうにかなンだろ」

就職について思い煩《わずら》わねばならない時期まで、二年も時がある。現状はまず、首尾良く大学生になったことを言祝《ことほ》いでおこう。で、大学生活を楽しむんだ。

——と、思っていたのだが。

案に相違して、大学生活はさほど楽しくなかった。入学して間もなく、孝太郎は目が覚めたみたいにそう悟った。何だろう、この退屈さは。自分でも意外だった。何でこんなにつまんないのかな。

周囲には、孝太郎と同じように目的も目標もなしに大学生になった連中がうようよしていた。みんな楽しそうだ。人生でいちばん楽しい時期をめいっぱいエンジョイしていますし、これからもっともっとエンジョイしまくりますという顔をしている。

ところが孝太郎は、そんなふうになれない。ぜんぜん胸が弾まないし、そもそも何をエンジョイしたらいいかわからなかった。

サークルにはいくつか入ってみたけれど、どこも名目と名称が違うだけで、お楽しみの中心はコンパと飲み会だ。そうではない〈本気な〉ところは、今度は本気すぎて孝太郎がついていかれない。大学のサークルは楽しいって、みんなが言ってたのになあ。

でも、よく考えてみると、「大学生のときは人生でいちばん遊べるぞ」「サークルはめちゃめちゃ面白いぞ」と、言っていた〈みんな〉って、どこの誰だったのか。

孝太郎には、まわりの連中が死ぬほど退屈だという講義の方が、どうかすると面白く感じられることがある。一般教養課程はおしなべて退屈なものだとは思うが、それでもときどき、今まで知らなかった知識の断片に触れることがあるからだ。サークルとは名ばかりのコンパと飲み会の連続には、新しい発見はない。高校生のときは隠れてやっていたことを、堂々とやれるようになったという違いがあるだけだ。少なくとも、孝太郎が運命の裁定によって所属することになったこの大学では、そんなものだった。

人生、間違ったかもしれない。オレは大学進学を安易に考え過ぎていたのかもしれない。浪人してでも、もう少しよく考えて専攻を選ぶべきだったのではないか。

それとも、こんな心理に落ち込むオレは、いわゆる五月病なのだろうか？　それにしちゃあ、燃え尽きるほど過酷な受験期を過ごした覚えがない。この大学にうかったときも、達成感はなかった。一つはセーフのところがあってホッとしただけだ。五月病というのは、もっと真摯《しんし》な学生がかかるものだろう。

孝太郎の父・孝之は信用金庫に勤めるサラリーマンである。母の麻子は分類するなら専業主婦だけれど、結婚以来断続的に、様々な職種でパートタイムで働いてきた。ここ二年ほどは、家の近くの大型量販店でレジ打ちをしている。

二人とも真面目《まじめ》な市民だ。こつこつ働いて、孝太郎と一美を育ててきた。二人の子供の何かとバカにならない教育費を、自分たちの楽しみは後回しにして捻出《ねんしゅつ》してくれている。そんなの親なら当たり前だと〈みんな〉は言うかもしれないけれど、孝太郎は将来、自分が親の立場になったときに、自分の親と同じくらい勤勉で辛抱強くなれるものか、かなり自信がない。その一点で孝太郎は、二十歳になんなんとする小生意気な大学生風に言うならば、両親に一目《いちもく》置いているのだった。

その人たちに、自分が進路選びを軽んじた挙げ句に失敗したらしく、学生生活にまったく喜びが感じられないし、まわりにいる友人（友人候補を含む）たちに対して、ほとんど親愛と共感の情が湧《わ》かない——なんて白状するのは、かなり申し訳ないことである。ひょっとすると両親は、孝太郎のメンタルなトラブルを心配してしまうかもしれない。そうじゃないことは、漠然とした体感ながら孝太郎にはわかっているのに。

そう、この漠然とした体感というのが問題だった。孝太郎自身には、自分が大学受験で燃え尽きたのではなく、大学生になれたから気が抜けたのでもなく、たまたま今の段階では気の合う男友達や、ばっちりタイプの女の子に出会ってないからがっかりしているだけなのでもなく、ただ〈今の生活には何かが足りないから退屈なのだ〉とわかっている。わからないのは、その〈何か〉が〈何であるか〉ということだけだ。

いや、だけだった。今では過去形だ。今年の夏、初めて経験した呆《あき》れるほど長い大学の夏休みの最中に、孝太郎はその〈何か〉と出会ったから。

駅の駐輪場に自転車を置き、ホームへの階段を走って登る。乗るはずだった快速より一本遅くなってしまった。交代を十分待ってくれと、カナメにメールしておこう。

駅のホームで電車を待ちながら、孝太郎は考えた。園井家のハナコおばちゃんは、誤った認識に基づいて、正しく相談を持ちかけてきた。でも、それをおばちゃんに説明するのは至難の業《わざ》だ。おばちゃんはカタカナ文化が苦手なんだから。

——あのね、おばちゃん。オレがバイトしてる会社は、パソコンの会社じゃないんだ。パソコンと関係はあるんだけどね。

そう、根っからの深い関係がある。

——オレが今やってることは、〈サイバー・パトロール〉っていうんだよ。

それが孝太郎の出会った〈何か〉だった。

2

株式会社クマーは、御茶ノ水駅にほど近いこぢんまりしたオフィスビルのなかにある。休憩室の窓からはニコライ堂が見える。

孝太郎が初めてここを訪れたのは、七月初旬のことだった。梅雨明けしたばかりで早くも油照りの神保町《じんぼうちょう》の古書店街を歩いていて、ばったり真岐《まき》誠吾《せいご》に会ったことがきっかけだ。

名前の響きも字《じ》面《づら》もちょっと大仰《おおぎょう》なこの人は、孝太郎が高校時代に所属していたフットサル部のＯＢである。孝太郎が高三になって部活から引退するまでは、毎週のように顔を合わせていた。真岐はフットサルが好きで、後輩を指導しようというよりは、自分がプレイしたいからちょくちょく母校に顔を出していたのだ。歳《とし》は当時で三十ちょうど。身長一六三センチ、小太り、一見したところはまったくアスリート風ではないけれど、実はしぶといフットサルプレイヤーで、コーチとしても優秀だった。

そこは駿河《するが》台《だい》下の三省堂書店の前だったので、二階にあるカフェに入ってしばらく話し込んだ。自分の近況を報告するうちに、孝太郎はつい口が滑って、大学生活は退屈だと言ってしまった。

真岐はまったく驚かなかった。

「さっきも、見るからに退屈そうな顔して歩いてたもんな。大学でフットサル同好会を作ってみたら？」

「もうあるんですよ。だけど、ほとんどフットサルやってないんです。飲み会ばっか」

「コウダッシュには、自由でハッピーで享楽的《きょうらく》なキャンパスなんて合わないんだな」

孝太郎が現役だった当時、フットサル部にはもう一人「井上光太郎」という部員がいた。そこで井上を〈コウ〉、孝太郎のことを〈コウダッシュ〉と呼び始めたのが、この真岐先輩である。五十音順では井上は三島よりうんと前だから、孝太郎の方が〈ダッシュ〉になるのが順当だ、と。素直にコウタロウと呼んだ方が呼びやすかろうに、何故《なぜ》かこの呼称は定着した。それだけ、真岐が部員たちに慕われていたということだろう。

こう呼ばれるのは久しぶりだ。高校のころは面白かったなと、ちらりと思った。

「マジで進路を変えようかと思っちゃったりしてるんですけど」

「別の大学を受け直すの？　やめなよ、やめなよ。国家公務員の上級試験や司法試験でも目指すつもりがないんなら、どこへ行ったって大同小異だ」

どうしても今の大学を辞めたいのなら、いっそ警察学校へ入れという。

「さもなきゃ自衛隊でもいい」

孝太郎は、口のなかのアイスコーヒーを噴き出すほど驚いた。

「それって、オレに警官や自衛官になれって意味ですか？」

「いいんじゃない？」

「あり得ないスよ。うちのオヤジは普通のサラリーマンなんだし」

「親父《おやじ》さんの仕事は関係ない。興味ないのか？」

考えてみたこともない。

「何かキツそうな世界でしょ？　どっちも階級社会なんだろうし」

真岐は手を上げて、夏バージョンでほとんど坊主《ぼうず》刈りに近いほど短くしている髪をぐりぐりと撫《な》で回した。

「ふうん……。そうか、コウダッシュは息苦しい上下関係が嫌いなんだったな」

「や、そんな大げさなことじゃないっすよ」

「でもさ、俺は真面目に、コウダッシュは警察官に向いてると思うんだ。自分じゃ気づいてない？　コウダッシュは心のどっかでちょっと——ちょっとだけど、世のため人のために働きたいと思ってる」

今度は孝太郎が笑ってしまう。「そんなのゼンゼンないですよ」

「そうかなぁ。部活でも、ほかの部員が面倒がってやらないようなこと、ちゃんとやってたじゃないか。掃除とか後片付けとか、威張りくさってグラウンドを空けてくれないサッカー部の連中と辛抱強く交渉することとか、内輪もめの仲裁とかさ」

「その程度のことでオレなんかと一緒にされたんじゃ、警察官や自衛官が気を悪くしますって」

「そう？　大ざっぱすぎるか」

ストローで音をたててアイスコーヒーを吸い上げる真岐を見ていて、孝太郎は可笑《おか》しかった。先輩、わかってない。

高校時代の孝太郎にそういうマメな部分があったのだとしたら、それは目の前にいる真岐本人から影響を受けたからだ。真岐がそういうことに気を配る人だったからだ。現役だろうがOBだろうが、先輩なんてものはみんな理由もなしに威張りたがるだけの存在だ（中学時代のバスケット部の先輩たちがまさにそうだったから）と思い込んでいた孝太郎の認識を、真岐が変えてくれたのだった。

人間、意外と自分のことって見えないんだなあ——と思った。

「コウダッシュさぁ」

溶けかけのクラッシュアイスばかりになったグラスをとんとテーブルに置いて、真岐が孝太郎の顔を見た。

「そんなに退屈なら、ちょっと社会見学してみないか」

「はぁ」

「アルバイトする気はある？」

充分あった。実際、いくつかあたっているところだ。

「コンビニの店員でもやろうかなと思ってるんですけど。深夜勤務だと時給もいいし」

「夜中のバイトでもいいってこと？」

「はい、時間のやりくりはつきますから」

「大学の方がおろそかになって、ご両親に心配かけたりしない？　コウダッシュはまだ未成年なんだから」

こういうところも真岐は常識人だ。

「大丈夫です。ちゃんとしますから」

「だったら今から行こう。近所だから」

伝票を手に、にこにこして真岐は立ち上がった。そして孝太郎を、窓からニコライ堂の見える株式会社クマーに連れていってくれたのだ。

「ここね、俺が勤めてる会社。本社は名古屋にあるんで、ここは東京支社。オフィスに三階と四階を借りてるんだ」

内装はきれいで、まだ真新しい感じがした。受付は三階にあるが、カウンターがあってインターフォンがあるだけで、受付嬢はいない。円形のガラス盤に、ステンシルというのだろうか、社名とロゴが浮き出るような感じに加工したものが、正面の壁に掲げてある。

「クマーって、変わった社名ですね」

「山科《やましな》が子供のころ好きだった絵本に出てくる怪獣の名前なんだってさ」

「ヤマシナさん？」

「ここの創業者。俺の大学のゼミ仲間。ついでに言うと俺も執行役員の一人で、東京支社長だったりするんだけど」

孝太郎は、いわゆる〈目を白黒させる〉状態になった。

真岐先輩が、平日の放課後に練習を見にきてくれたり、土日でも夏休みでも付き合ってくれるので、

——会社、休みなんですか。

——俺んとこはフレックスタイム制なんだ。

——週末なのにいいんですか。

——サービスしなくちゃならない家族もカノジョもいないから平気。

そんなやりとりをした覚えはある。でも、それ以上深く突っ込んで、仕事や私生活

のことは訊《き》かないままだった。そんな必要を感じなかったということもある。創業者とゼミ友達？　執行役員？　もしかすると、山科というここの会長だか社長だかＣＥＯだかは、学生起業家だったんじゃないか。真岐の年齢から推《お》すと、大いにあり得る。

受付の先にあるドアには、電子ロックがかかっていた。ドアの脇《わき》に、小さなパネルがついている。真岐がチノパンツのポケットを探り、首から提げるストラップがついたカードを引っ張り出してパネルにあてると、低く唸《うな》るような音がして解錠された。

「こっちだよ。どうぞ」

何となく会釈《えしやく》しながら入ると、左右に短い廊下が延びていて、行き止まりの両端にドアがある。正面は壁が腰の高さぐらいまでで、そこから上はガラス張りになっていた。覗《のぞ》き込もうとしなくても室内の様子が丸見えだ。

「わわ」

今度は声に出して驚いてしまった。

ガラスの向こうはオフィスになっている。どこからどう見ても、ほかの用途に使われているとは思えない。机と椅子《いす》がずらりと並んでいて、そのほとんどに人が座っている。

みんな、真岐と似たようなラフな服装だ。Tシャツ、ポロシャツ、ジーンズにチノパン。派手なアロハ姿も一人いた。みんな、さっき真岐がドアを開けるときに使ったカードを、首から提げている。ほとんどの人が真岐より若く、孝太郎よりは少し年長の感じだった。

そこここにキャビネットがあり、コロのついた大きなホワイトボードがある。びっしりといろいろなことが書かれており、細かすぎて廊下からでは読み取れない。ホワイトボードのほかに、居酒屋やイタ飯屋でよく〈本日のお勧め〉を書くのに使っているくらいのサイズの黒板が、こちらは机の列のひとつかふたつにひとつぐらいの割合で壁に掛けてあり、白とピンクと青のチョークで字が書かれていた。

これだけなら、特にどうということもない。事務職のオフィスならたいていこんな様子だろう。ただ、ここには異色な点がふたつあった。ひとつは、昼日中だというのに窓にしっかりブラインドが降りていること。もうひとつは、すべての机に、パソコンのモニターが二台ずつ載っていることだ。ひとつの机に人は一人しかついていないから、このオフィスで仕事する人たちは、全員が一人で二台のモニターに向き合っていることになる。

そう、まさに彼ら（プラス若干名の彼女たち）はモニターに向き合っていた。モニター上では複数のウインドウが開き、スクロールしていく。彼らプラス若干名の彼女たちは、折々にキーボードやマウスを操作しているが、それ以外のことはしていない。電卓を打ったり、ファイルを作ったり、顎《あご》の下に電話の受話器を挟んでしゃべったり、来客の相手をしたりしていない。ほぼ全員が席についていて、自分のモニターに目を向けている。

静かだ。電話さえ鳴ってない。

「どんな仕事してるんですか」

孝太郎の驚きぶりに目を細め、

「ここはね、警備会社なんだ」

ネット社会のね——と、真岐誠吾は言った。

ハナコおばちゃんに言ったとおり、孝太郎はパソコン使いではない。ネットサーフインにハマった経験はないし、ブログを書いたこともない。店を探すとか地図を見るとか日常的な目的でいちばん便利に使っているのは携帯電話だが、それだって備え付けの機能の半分も使いこなせていないと思う。

ネットにはあんまり興味がないというのが、正直なところだ。妹の一美の方が、しよっちゅう好きなタレントの情報を追いかけている分だけ、まだ孝太郎より詳しいだろう。

それでも、「サイバー・パトロール《ウオッチ》」という言葉には聞き覚えがあった。ネット上に存在するあらゆる情報を監視し、法律や法令に抵触する恐れのあるもの、不健全で危険なもの、犯罪に結びつきそうな内容のものを見つけ出し、調査し、必要な場合には対策をとるという、一連の活動を指す。

ただ、こうして真岐の話を聞くまでは、孝太郎はそれが〈仕事〉になるとは思っていなかった。一部の熟練したパソコン使い——ぶっちゃけて言うならマニアにしかできないし、またやる気にもならないボランティアだろうと思い込んでいたのだ。

「ああ、その認識は間違いじゃない。ボランティアもあるからね。サイトの会員たちが自主的にパトロールしたりとか」

「へえ、そうなんですか。オレ、テレビのニュースでちらっと観《み》たくらいですから」

違法な薬物や拳銃《けんじゅう》や児童ポルノがネット上で売買されている。ネットで仲間を募って凶悪犯罪を企《たくら》む者たちがいる。通り魔事件の犯人が事前にネットで犯行予告をしていた——そういう事例を紹介し、ネット社会を行き交うそれらの情報をウオッチし、犯罪防止に努めるサイバー・パトロールについて、キャスターが解説していたのだ。

「夕方のニュース番組だったんじゃないかな。特集コーナーとかで」

「そう。うちも取材を受けたことがあるよ」

ひととおりオフィスのなかを見せてもらってから、二人は休憩室に移った。大学のカフェテリアみたいな造りで、こぎれいに片付けられた部屋だ。コミックとライトノベルがびっしり入った書棚と、清涼飲料水とスナック菓子とカップ麺《めん》の自動販売機があり、孝太郎の感覚では意外なことに、テレビは置いてなかった。

今はみんな勤務中だそうで、ほかに人はいない。ただ隣の仮眠室は、通りがかりに覗いたら簡易ベッドで寝ている人の頭が見えた。

「その特集を観て、興味わかなかった？」

「だって、オレには無縁の世界だし」

真岐は笑って、窓の外に目を投げた。真夏の日差しの下で、ニコライ堂も暑そうだ。

「確かにうちの社員は、契約社員も全員大卒だし、情報工学とか専攻してた奴《やつ》が多い」

真岐がいくつかの有名大学の名前を挙げた。

「転職組もけっこういるんだよ」

今度は、いくつかの有名ＩＴ企業の名称を挙げた。

　思わず顔に出そうになるほど、孝太郎は驚いた。さっきのオフィスにいた社員たち、みんな若いし、服装はラフだし、（こっちの思い込みのせいだろうけど）おたくっぽくて、そんなストレートに優秀な人たちの集まりには見えなかったのだ。

すみません。心のなかで密《ひそ》かに冷汗をかき、孝太郎は笑ってごまかした。「やっぱりね。その道のプロでしょ」

「うん。能力もスキルも高い連中だよ。そうでないとできない仕事だしね。だから今まで、うちでは学生のバイトを入れたことなかったんだけど、最近、方針を変えようかって、山科と相談してたとこなんだ」

　もう少し人材を多様化しようか、と。

「今のうちのメンバー、年齢層が狭いだろ？　いちばん年上が支社長の俺で、三十三歳。いちばん年下はこの春入った山田って女の子で二十二歳。このへんがネット業界ではいちばん働ける年代ではあるんだけど、今後、ユーザーの年齢層は上下に広がっていくに決まってるんだから、こっちもそれに適応していかなくちゃ」

　ユーザーの年齢層が広がれば、ネット社会で起こるトラブルの内容や、厄介で危険な情報の質も変わってくる。そうなったとき、二十代、三十代の〈目〉でばかり監視していては、見落としが出てくるかもしれないのだ、という。

「ネットはね、符丁とか隠語とか、すごく感覚的な言語の飛び交う世界なんだ。ダジャレみたいな隠語もあったりして、同じ日本語文化圏にいても、わからない人にはまったくわからない。今後のネット社会で生じてくるに違いない、世代差による言語感覚の差――それは煎《せん》じ詰めればそのグループが持っている文化的資本の差でもあるんだけど、そいつを甘く見ちゃいけない」

フットサル以外のことをこんなに熱心に語る真岐を、孝太郎は初めて見た。

「だから、まずはシニア世代を雇ってみようかってね。意外といるんだよ、パソコンに馴染んでるプレおじいちゃんたち」

孝太郎にはピンとこない。三島家にはもう父方の祖父しかいないが、姫路に住んでるこのじいちゃんは、留守番電話も上手《うま》く使えないというヒトだ。

「ただ問題は、ほとんどの場合、彼らが老眼だってこと。長時間労働も無理だから、どうしたって数時間交代のバイトになるしね」

そりゃそうだろう。

「あと、現役の学生ね。シニアと違って、まだ自分自身が海のものとも山のものともわからないし、社会的なバックボーンもない。そういう〈目〉で見ないと気づかないものもあるかもしれないから」

それってどんな〈目〉なんだ。

「もっとも、こっちの方はパブリシティ効果も狙《ねら》ってさ、その意味合いの方が大きいんだ。求人をかけるって、けっこう効率のいい宣伝になるんだよ。今の若い子たちは、流行《はや》り廃《すた》りで消えて失《な》くなる消費物の情報より、未来につながる職や生き方の情報を求めてるから」

あ、それはピンとくる。

「で、コウダッシュ、うちでバイトしてみないか？」

真岐はにこやかな眼差《まなざ》しを孝太郎に向けた。

「退屈しのぎにやってみるかってぐらいの、軽い気持ちでいい。仕事は一から俺が教えるよ。シフトも無理のないように組むし」

至れり尽くせりの提案だ。悪い話ではない。正直、仕事は面白そうだ。興味を引かれる。

——でもなあ。

「今の話だと、オレって、株式会社クマー・バイト君雇用プロジェクト、プロトタイプ第一号ってことになるんですよね？」

真岐は明るく声をたてて笑った。「上手いこと言うね。そうそう、ぶっちゃけそういうこと。プロトタイプ初号機って言う方が、もっとそれっぽくなるけど」

要するに実験台だ。

「そうすっと、オレがちゃんと仕事できない場合、『あ、やっぱバイトはダメか』って、プロジェクト自体がやめになっちゃう可能性がありますよね。オレ、それはちょっと荷が重いっていうか」

「コウダッシュはやっぱり生真面目なんだなあ」

「そんなんじゃないですよ」

「大丈夫だよ。コウダッシュ一人に責任をおっつけたりしないから。それに」

実はね――と、真岐は初めて声を潜め、内緒話をするように頭を寄せてきた。孝太郎も同じようにした。

「東京支社は、あと一年で閉鎖する予定なんだ。都内は何かと経費がかかるから」

クマー創業からしばらくは、顧客開発のために東京に拠点を持つ必要があったのだが、経営がしっかり軌道に乗った現在では、それもなくなった。

「閉鎖しちゃったら、今の社員さんたちはどうなるんですか。真岐さんだって」

「札幌に移る。自社ビル――たって小さいもんだけど、あっちに建てる計画が進んでてね。俺、東京の熱帯夜にはほとほとうんざりしてるから、楽しみなんだ」

ＩＴビジネスは場所を選ばない。ただ、人材を確保するためには、ある程度の規模の都市に足場を置かないと、やっぱり苦しい。離島や山のなかでは、どんなに立派なハードを調えても、肝心の人間というソフトが集まらない。結局、本社のある名古屋を始めとする大きな地方都市が理想的なのだそうだ。

「親父の仕事の関係で、俺、子供のころ仙台に住んでたことがあるんだ。今でも大好きな街だから山科に売り込んだんだけど、残念ながら既に強力なライバル会社がありましてな。遠慮しとこうってことになっちゃった」

仙台も札幌も、理系の優秀な大学がある都市だよなぁ——と、孝太郎は考えた。

「だから、コウダッシュがちょっとでもうちの仕事に興味を持ってくれたなら、今がチャンスだよ。一年のお試し期間。逆に言えば、俺との腐れ縁に引っ張られて妙なバイトを押しつけられちゃったって後悔しても、一年我慢すれば円満にバイバイできるってわけだ」

「や、オレ別にそんなふうに思ってるわけじゃなくって」

「いいって、いいって。まあ、すぐ返事しろっていうのも乱暴だから、ちょっと考えてみてよ」

また受付まで送ってもらって、真岐と別れた。オフィスに戻っていく真岐の足取りは軽そうだった。

孝太郎が今日、神保町に来たのは、特に用があったからではない。神田の古書店街を歩くのは父・孝之の趣味で、子供のころから付き合わされていたものだから、こっちも趣味になってしまった。暇で所在ないと、何となく来てしまう。

携帯電話を見てみたら、一美からメールがきていた。アイドルの写真集とかコミックとか、上限いくらまでで出ていたら買ってきてくれと、いっぱいタイトルを並べている。そこにいちいち、信じられないほど楽観的な〈希望販売価格〉が列挙されている。

――今時、神田の古本屋だってそんなに甘くねえよ。

しょうがない、うるせえから探すだけ探してやるかと、歩き出した。歩きながら考えた。

株式会社クマーの仕事には、興味がある。それでも躊躇《ちゅうちょ》する理由は――真岐にはあんなふうに言ったけど――自分が失敗したら申し訳ないなんていう殊勝なものではない。

あそこの人たち、みんな優秀なんだろ？　オレ、最初からみそっかすじゃんか。

一美に頼まれたブツを探しながらあちこちの書店を覗《のぞ》いているうちに、絵本と児童書の専門店に行き当たった。新刊も古書も両方扱っているという。

そして、ふと思い出した。クマーという変わった社名の由来を。

――山科が子供のころ好きだった絵本に出てくる怪獣の名前。

こんな行き当たりばったりに探して、その本が見つかるとは思えない。でも、この店はけっこうでかいし、見つかったら面白いじゃないか。

店内に入ると涼しかった。書架から書架へ、足音を忍ばせて歩き回る。探すといっても、手がかりは〈クマー〉だけだ。絵本の題名がわからないのだから、よく考えてみれば無茶な話だった。

オレもバカだなあと思ったとき、目が吸い寄せられた。「永遠のロングセラー」の棚だ。そこに、こちらに表紙を向けて、大きさも判型もとりどりのカラフルな絵本に混じって、その本はあった。

『ヨーレのクマー』

翻訳ものだった。作者の名前はカタカナで、ぱっと発音できないくらい長ったらしい。絵の感じも全体の色調も可愛《かわい》らしいが、どことなくバタくさい感じがする。

ちょっとまわりを見回してから、孝太郎は立ち読みを始めた。

――クマーはかいじゅうです。

それが冒頭の一文だった。見開きの二ページに、文章はそれだけだ。絵は、丸い湖水を囲む山々と、青い空。湖水のほとりにある小さな街。三角屋根の家々が並び、尖《せん》塔《とう》のある教会が見える。

次の見開き。

――クマーはずっと、この山にすんでいます。フィヨルドをみおろす、この山がだいすきです。

なるほどなるほど。で、クマーってのはどんな怪獣なんだ？　とりあえず姿を拝みたい。どんどんページをめくる。めくってもめくってもクマーの絵は出てこない。

ある件《くだり》で、その理由が判明した。

――クマーは、まちのひとたちのめにはみえません。クマーはからだがとうめいなのです。

クマーはフィヨルドを見おろす山に、昔から住んでいる怪獣だった。ずっとずっと昔、クマーもいつから住んでいるのか忘れてしまったくらい昔から。日本風に言うのなら、つまりこの山のヌシなのだろう。

そしてクマーは、山とフィヨルドと、フィヨルドの畔《ほとり》にある〈ヨーレ〉という街を、悪い怪獣たちから守っていた。クマーはヨーレの街も、ヨーレに住んでいる人たちも好きだった。街の人たちがお祭りで歌う唄《うた》や、奏《かな》でる音楽が好きだった。街からいつも、パンケーキのいい匂《にお》いが漂ってくるのも好きだった。街の人たちの笑い声も好きだった。教会の鐘の音も好きだった。

だから、街を襲おうとする怪獣が現れると、クマーはそいつらと闘って倒し、ヨーレの街を守っていた。

クマーは、生まれたときから身体《からだ》が透明だ。そういう怪獣なのだ。でも、ちっとも不便じゃない。それどころか、悪い怪獣たちと闘うには、透明な方が便利だった。悪い怪獣たちに気づかれないよう、そっと忍び寄ることができる。

ところがある日、街に忍び込もうとしていた狡賢《ずるがしこ》いトカゲ怪獣と闘ったとき、クマーはうっかり怪我《けが》を負ってしまった。傷は深く、とても痛くて、クマーの身体からは血がたらたら流れた。頭のてっぺんにある大事な角も折れてしまった。クマーのお父さんとお母さんから、（命の次に大事なものだよ）と教わった角なのに。

そしてクマーは気がついた。あれ？　身体が透明じゃなくなってる。手が、足が見える。クマーは、自分の手足の鉤爪《かぎづめ》が鋭いことにびっくりした。

クマーが身体を透明にしているためには、あの角が必要だったのだ。折れた角が生え替わってくるまでは、クマーは透明になれない。姿が丸見えだ。

——わあ、たいへんだ。

さらに大変なことが起こった。クマーはその姿を、教会の鐘楼に登っていた鐘楼守《しょうろうもり》の老人と、彼の小さな孫娘に見られてしまったのである。

たちまち、ヨーレの街は大騒ぎになった。怪獣が出た、怪獣が出た！　クマーは痛む身体を引きずって、山のなかへ逃げ込んだ。街の人たちは夜通し明かりをつけ、さらに松明《たいまつ》やランプを持って、山のなかまでクマーを探しにやってきた。鉄砲や斧《おの》や弓も持っていた。怪獣を探せ、怪獣を倒せ！

——クマーはわるいかいじゅうじゃない。クマーはかいじゅうだけど、クマーなんだよ。

クマーは悲しくて涙を流しながら、ヨーレの街を囲む山々をいくつも越えて、人びとの追跡から逃げた。逃げても逃げても、人びとは追いかけてきた。何日も何日も追いかけてきた。

クマーは疲れておなかが空いた。フィヨルドの魚を食べたい。

夜明け前、クマーはフィヨルドに降りた。ヨーレの街が遠くに見える。ヨーレの街の向こうから、朝日が昇ってくる。

その光に照らされて、クマーは見た。フィヨルドの水面《みなも》に映る自分の顔を、全身を見た。

それは、これまで闘って倒してきた悪い怪獣たちとそっくりだった。

――クマーは、わるいかいじゅうとおんなじかおをしてる。おんなじいろをしてる。おんなじしっぽをもっている。

だからヨーレの街の人たちは、あんなに怖がり、怒って追いかけてくるのだ。

クマーはフィヨルドの水に身体を浸し、そのままずうっと潜っていって、泳ぎ始めた。どこか遠くへ行かなくてはならない。

――ごきげんよう、ヨーレのまちのみなさん。またいつか。

教会の朝の鐘を聴きながら、クマーはヨーレの街から去った。そして二度と戻らなかった。フィヨルドの水は深く冷たく、傷ついて疲れたクマーを呑《の》み込んでしまった。

でも、ヨーレの街には伝説が残った。フィヨルドを渡って街を襲いにくるという、恐ろしい怪獣の伝説が。

絵本の最後には、簡単な著者紹介が載っていた。長ったらしい名前の著者は、ノルウェーの作家だった。

孝太郎は絵本を閉じて、丁寧に棚に戻した。

この絵本を愛し、あの会社を興《おこ》し、クマーと名付けてここまで育ててきた山科という人に会ってみたいと思った。

株式会社クマーで働いてみよう。

3

会社に着くと、エレベーターを待たず、孝太郎は階段を使って四階に上がった。途中でリュックのポケットからセキュリティカードを取り出し、ストラップを首にかける。

今日の孝太郎は、午前十一時から午後二時までの勤務シフトに入っている。現在、十一時十二分三十秒。廊下のロッカーにリュックとコートを入れ、解錠したドアを押してオフィスに入ると、左手奥の机の列の端っこで、芦谷要《あしやかなめ》が「こら！」という顔をしていた。

ごめんごめんとカナメを拝み、室内で勤務中の人たちには、「おはようございます」と声をかける。オフィスのなかは七分ほどの入りで、その七分の半分ぐらいのメンツから、「お〜う」とか「おっす」のリアクションがぱらぱら起こった。ここでは、出入りの挨拶《あいさつ》は必須《ひっす》ではない。仕事の邪魔になるからいっさい挨拶しないという社員も多いし、それで誰かが気を悪くするということもない。挨拶を返してくれる人たちも、ほとんどの場合は作業の手を休めないし、モニターから目を離さない。

　ドアの脇に置かれた勤務管理用の端末に自分のコードと出勤時間を手早く打ち込むと、消音（プラス防臭効果付き）のパンチカーペットを踏んで、孝太郎は自分の机に近づいた。

「悪い悪い。出がけにつかまっちゃってさ、快速を一本逃しちゃったんだ」

　カナメはわざとのように怖い顔をしてみせる。「これ、貸しだよう」

「わかってるって。今度、マックおごる」

「マックじゃなくてサイゼのランチ」

　カナメは二十歳の大学生である。彼女のキャンパスは、孝太郎の自宅からだったら自転車で行けるような都下にある。出身地は名古屋で、現在は大学の寮に住んでいる。一見、おとなしやかなお嬢さんだ。服装も楚々《そそ》としており、艶《つや》やかな黒いロングヘアを、仕事中にはいつもシュシュでまとめてポニーテールにしており、またそれがよく似合う。

　真岐はカナメのことを、高級住宅地の方の芦屋に引っかけて〈お嬢〉と呼んでいるが、孝太郎はもっぱら〈カナメ〉だ。カナメの方も「ねえコウタロウ」などとしゃらっと呼び捨てにするが、「漢字で呼んでるんじゃないのよ。カタカナなの」と言い、そのニュアンスは孝太郎にもわかる。彼もカタカナで呼んでいるつもりだからだ。

二人はここでバディを組んでおり、互いの業務とシフトを補い合っている。カナメは夜間のシフトには入らないので、朝から夕方までの時間帯に限られるが、それぞれの授業スケジュールとここでの勤務シフトを見比べて、融通をきかせることができるのは有り難い。それに、自分が急に休むと誰にしわ寄せが行くのかはっきりわかっているというシステムは、どうしたってお気楽な勤務態度になりがちなアルバイト学生に責任感を持たせるために、かなり有効だ。これもまた、真岐が〈株式会社クマー・アルバイト雇用プロジェクト〉のために工夫したものだった。

このシステムの欠点は、バディと気が合わないと悲惨だということだが、孝太郎は幸運だった。カナメはクセのない良い娘《こ》で、生真面目な女子大生である。専攻は国文学。ときどき、孝太郎にはさっぱりわからない近世文学の話をする。それと、見かけによらない大食いだ。これには何度か驚かされた。バイトとしては孝太郎の方がひと月ほど先輩なので、最初のうちはこまごま教えていたが、今ではカナメも独り歩きをしている。国文へ行くくらいだから言葉への感性が鋭いのか、仕事を覚えるのは早かった。

「ンじゃ、タッチ交代」

カナメに椅子を譲ってもらってポジションにつく。

「うちの島、ガラガラだな」

ほかの机には誰もいない。

〈島〉というのはクマー内部の符丁で、担当ジャンル別に分かれているグループのことをいう。この四階オフィスでは、孝太郎たちは違法・脱法薬物の売買に関する情報を監視しているので〈ドラッグ島〉、隣の机の列は自殺サイト担当なので〈自殺島〉、その向こうはアダルトサイト担当なので〈アダル島《とう》〉だ。ここには児童ポルノも含まれる。ひとつの島には五名から六名のメンバーがいるが、ドラッグ関係のサイトは数が多いので人手も要るから、ドラッグ島には社員八名にプラスして、孝太郎とカナメがいる。

「会議やってる」

カナメはシュシュを外して長い髪をさらりと肩に流した。

「山科さんが来てるから」

山科社長は、通常は名古屋本社に詰めている。東京支社のオフィスに顔を出すのは、月に一、二度だ。

「何かあったの？」

「別に、そんなんじゃないと思うよ。三十分ぐらい前は、〈アダル島〉のみんなが会議室に呼ばれてたから。順繰りに札幌新支社の話をしてるんじゃない？」

　東京支社の閉鎖は決定事項だから、札幌新支社ができるまでに、社員と契約社員は、一緒に移るかクマーを辞めるか、どちらかに決めなくてはならなくなる。単身者はともかく、家庭のある社員には迷いもあるだろう。待遇面に変化が出る可能性だってある。

「オレらには関係ないか」

「そ。あ、これ見といて」

　カナメは左のモニターの角にちょこっと貼《は》ってあるポスト・イットを指さした。

「処理は終了してるけど、リアクションが入るかもしれない。昨日の夜中、ハーブきめてバイクで多摩川土手を突っ走った高校生が、その動画をアップしてたの」

　ポスト・イットには、カナメの丸っこい字でいくつかのハンドルネームが書いてある。

「バカだねえ」

「でね、このネームの連中はこっちでは初見なんだけど、その高校生の友達らしくって、動画見てくれって頼まれて、覗《のぞ》きにきたみたいなの。これがきっかけでヘンなつながりができちゃうとまずいから、しばらく気をつけてろって、真岐さんが」

それぞれの島には島長《とうちょう》がおり、普通は古参の社員が務めるのだが、ドラッグ島には新人が配属されることが多いし、短期雇用の契約社員もよく出入りするので、支社長の真岐が島長を兼ねているのだ。

「了解」

カナメはちらっと腕時計を見ると、「あたしも快速逃しちゃう。じゃ、またね」と、急いでオフィスを出て行った。孝太郎はモニターを見たまま大ざっぱに手を振った。

社内の連絡メールをチェックしているうちに、ドラッグ島のメンバーたちが会議室から戻ってきた。そのなかには真岐もいた。

「よう、おはよう」

挨拶を投げ、真岐はオフィスの上座にあたるところにある自分の机へぶらぶらと戻っていく。他のメンバーたちも仕事を始めた。

孝太郎はこのところ、自分で見つけたあるサイトを気にしていた。〈アリスうさぎ〉という人物が運営しているサイトで、パッと見には園芸サイトみたいだし、内容もスパイスやお茶のハーブの栽培日記なのだが、そこで使われているレモングラスやミントやバジルという呼称が、何となく怪しいのだ。本当のレモングラスやミントやバジルではなく、それぞれが種々の脱法ハーブに置き換えられている臭《にお》いがする。大学の図書館で調べてみたら、本物のレモングラスやミントやバジルの栽培方法と、〈アリスうさぎ〉がサイトに載せている栽培方法は違っているし、文章のなかにときどき、「わかる人にはわかるでしょ」的な、意味ありげなフレーズが出てくる。また〈アリスうさぎ〉が、しきりとハーブの栽培を推奨し、種や苗を交換しましょうとか、自分が交配して作った苗をお譲りしますなどと売り込んでいる文章が、やっぱり何となくうさんくさいのだ。こういうのを真岐は〈オーメン〉と呼んでいる。普通っぽいサイトのなかに見え隠れする凶兆の意味だ。

　だが、まだしっぽをつかめない。今日も〈アリスうさぎ〉はせっせと更新していて、つい一時間ほど前に、新種のレモングラスの香りに包まれて夢の国に行ってきましたなどと、怪しげなことを書いている。

　もうひとつ、こちらはブログなのだが、書き手は美大生であるらしく、創作に行き詰まって悩んでいるという文章が日々書き連ねられているところに、最近になって「高次の創造パワーを解放するには外部からの助けが必要だ」とか何とかいって、ドラッグを売りつけようとする輩《やから》が接近してきた。売人《ばいにん》なのかどうか、孝太郎にはまだ判断がつかないのだが、本人の売り込みとしては、「自分は音楽家で、スランプだったときにこれで救われた」みたいなきれいなことを言っている。悩める美大生のブログには訪問者が多く、この自称音楽家の売り込みをめぐってちょっとした議論になっているのだが、「そんなのに耳を貸しちゃ駄目」という忠告より、「わたしも悩んでるから一緒に試してみよう」的なそそのかしが優勢気味で、もしかしたらこいつらは自称音楽家と最初からグルなのかもしれないし、あるいは自称音楽家が一人で何役も演じているのかもしれない。

今日も今日とて、悩める美大生は卒業制作が間に合いそうにないとか、先輩の個展に行ってその才能に打ちのめされて眠れないとか、後ろ向きなことばかり書いている。昨夜、午前三時四十分の更新だ。そんな時間に悩むこと自体が間違いで、とっとと寝た方が気分もさっぱりするだろうに。

そのうちに、オフィスの前の方で人の声がした。目を上げてみると、何人かが席を離れ、真岐の机のまわりに集まってモニターを覗き込みながら、何か話している。

「おっと」と、孝太郎の隣で前田《まえだ》という社員が声をあげた。ウオッチ用ではなく、作業用のモニターを見ている。そこに、ネットニュースの画面が出ていた。

「例の事件だ。支社長の言ってたとおりだよ。三件目が起きた」

孝太郎も同じニュース画面を出してみた。速報で、短信だ。〈New〉の表示がある。

〈静岡県三島市内の山林で捨てられていた衣装ケースに死体　右足の中指が欠損〉

孝太郎は前田の顔を見た。三十ちょい過ぎ、くずれた感じの男前だ。趣味でカポエラをやっているとかで、Tシャツの下の筋肉がむきむきのヒトである。

「例の事件って――」

「ほら、真岐さんが言ってたじゃないか。最初は北海道。釧路《くしろ》だったかな。不法投棄された冷蔵庫のなかから、男の死体が出てきたんだ。頭を殴られた上にロープみたいなもので絞め殺されてて、左足の親指が切り取られてた」

「いつごろでしたっけ」

「半年ぐらい前かなあ。ちょっと待った」

前田はマウスを動かし、作業用のモニターに自分のメモ画面を出した。ここではこれが普通のやり方だ。ペーパーは使わない。ポスト・イットを多用するカナメは極《ごく》少数派である。

「ああ、六月一日だ。釧路じゃなくて苫小《とまこ》牧《まい》だった。遺体の身元は地元の居酒屋の経営者で、四十一歳。中目史《なかのめし》郎《ろう》って、珍しい名字だよな」

六月じゃ、孝太郎はまだここにいなかった。

「それ、オレがバイトに来る前の話です」

「そうだっけ？ 孝太郎、もう十年も前からここにいるような顔してるから」

「十年前だと、オレ九歳です」

若いねえと、前田は笑った。

「この事件が起きたとき、これは厄介だよって、真岐さんが言ったんだ。わざわざ足の親指を切り取ってるところが嫌だって」

確かに猟奇犯罪っぽいけれど。

「あのときは、俺も真岐さんの考え過ぎっていうか、サイコ・サスペンスの見過ぎだと思ったんだよ。遺体の身元は早々に割れたし、犯人がわかってみたら動機は金とか色恋とかで、親指がないってのも、大した意味はないだろうと思ってさ」

「被害者がどっかの組員だったとかね」

「その場合でも、足の指は切りゃしないだろうが」

その後、苫小牧の事件の続報はなかった。それでも前田は深く気に留めることはなかったのだけれど、

「九月二十二日だよ。次は秋田市だった。市営住宅のゴミ置き場で、女性の死体が見つかったんだ。この被害者は死後二日で、死因はまた絞殺《こうさつ》。で——」

右足の薬指が切り取られて失くなっていた。傷はすっぱりときれいで、明らかに鋭利な刃物で切断されたものだったという。

「真岐さん、このニュースを見つけたときには椅子から立ち上がっちゃったんだぜ」

――こいつは連続殺人だよ。

真岐は常識人だ。普段はそんなことで騒ぐような野次馬ではない。

「真岐さんの鼻には臭ったんだなあって、俺も驚いた」

ピンときたのだ。ネットという大海を見渡して、危険な飢えをはらんだ小さな魚群を見つけるときのように。

「秋田の被害者の身元は？」

「それが全然」

前田はかぶりを振り、知り合いのことのように辛《つら》そうな顔をした。

「二十代から四十代の女性だってだけだ。手がかりがないんだよ。遺体発見現場に所持品は一切なかったし、服は着てたけど、タグの類《たぐ》いはすべて切り取られていた。靴の中敷きまで剥《は》がされていたっていうんだから」

孝太郎もちょっとぞくりとした。指を切り取るのは残酷だ。一方、被害者の身元を隠すためにそこまで入念にやるというのは、ひどく計算高い。その二つがセットになると、足し算ではなくかけ算でおぞましさがアップする気がする。

「警察も、失踪《しっそう》者とクロスチェックしてるんでしょうにね」

「被害者が県内の人間とは限らないからな。それに、世の中にはさ、ひょっこり姿を消したって、誰にも捜索願なんか出してもらえない人もいるんだよ。こんな仕事してると、そのタイプの人間の声が聞こえてくること、あるだろ？」

　孝太郎はうなずいた。孤独だと嘆くことさえできないほど——自分の嘆きを、誰か具体的な対象に聞き取ってもらうことを最初から諦《あきら》めているような、諦めざるを得ないような孤独のなかにいる、そんな声と遭遇することは、確かにある。

「警察は、これが連続殺人だって気づいてるのかな」

「今までは怪しかった」前田は口をへの字に曲げた。「警察もお役所だから縄張り意識が強いし、だからこそ逆に、自分たちの管轄《かんかつ》じゃない、あさっての土地で起きてることには鈍感なんじゃねえかなあ。三件目が起きて、覚醒《かくせい》してくれるといいんだけど」

　真岐の机を囲む輪がとけた。社員たちがそれぞれ仕事に戻ると、真岐は机の上の受話器を取り、電話をかけ始めた。

　孝太郎は自分の作業に戻った。午前十一時までのシフトのメンバーが、新しい検索ワードを二つ追加していた。ひとつは〈パーラー〉で、ひとつは〈モルト〉だ。後者はウイスキーの話ではもちろんない。

肩を叩《たた》かれて顔を上げると、いつの間にか真岐がすぐ傍らに立っていた。

「悪い、しばらくコウダッシュを借りる」

真岐は隣の前田に声をかけ、孝太郎にオフィスを出るよう促した。慌《あわ》てて終了処理をすると、孝太郎は早足で廊下へ出ていく真岐を追いかけた。真岐は三階へ下りる階段へ向かっていた。

「広域掲示板を舐《な》めるから、〈ＢＢ島〉のヘルプに入ってくれ」

〈舐める〉というのは、複数の検索ワードを打ち込んで引っかかってくる文章を探す〈クローリング〉ではなく、文字通りモニターに出てくる情報を隅から隅まで舐めるように読むやり方をいう。〈ＢＢ島〉のＢＢは〈Black Box〉の略で、既に発生してしまった凶悪事件に関する情報や、これからその手の事件を起こすという犯行予告や、殺人・誘拐・強盗などの共犯者を募る書き込みが集まるサイトを専門にウオッチしている。いわゆる〈復讐《ふくしゅう》請負サイト〉などもここの担当だ。

「前田と話してたね。三島市で見つかった衣装ケースのなかの死体のこと、聞いた？」

二人は並んで階段を下りる。「聞きました。右足の中指が切り取られてるって」

「今度のは、まだ切り取られてるのかどうかわからないけど……」

慎重な口ぶりながら、真岐は少し逸《はや》っているように見える。

「真岐さんは、一件目の苫小牧のときから連続殺人だって思ってたんでしょう」

「うん。俺の考えすぎだといいと願ってたんだけどね。とりあえず、今日明日はこの事件関連の書き込みが増えるだろうから、ＢＢを増員して舐めておきたいんだ」

「わかりました」

セキュリティを解除して三階のオフィスに入ると、ＢＢ島では人がざわざわしていた。孝太郎のほかにもヘルプで呼ばれた他の島のメンバーがいるらしく、機器やモニターを動かし、ポジションを割り当てているのだ。壁際《かべぎわ》のホワイトボードには、既に問題の事件に関する情報が箇条書きにされていた。

「イノちゃん、ドラッグの孝太郎」

真岐は親指を立てて孝太郎を指す。イノちゃんと呼ばれた猪瀬《いのせ》信也《しんや》はＢＢ島の島長《とうちょう》で、一昨年、情報工学の博士号をとってクマーに入社した切れ者だ。もっとも、風貌《ふうぼう》は優しげで、小柄で丸顔で目が細く、いつもニコニコしている。カナメは「うちの近所のお豆腐屋さんに似てる」と言っている。

「ヘルプに使ってやって」

「了解しました」と、猪瀬が軽く手を振り、その手で窓際の列を示した。「そこ使って」

件《くだん》の列には先客がいた。森永健司《もりながけんじ》だ。彼もバイトで、土木学科を専攻する大学三年生である。孝太郎と同じ時期にクマーに入った。最初の数日は一緒に研修を受けたので、顔なじみだ。

「よ」と、森永が言った。孝太郎が彼の隣に座ると、「僕たち、ここでバディだって」

「よろしく」

挨拶を交わしながら、孝太郎は内心「お」と思っていた。なぜなら森永は〈学校島〉のメンバーで、学校裏サイトのウオッチは彼の領分だからだ。おばちゃんから頼まれた美香のこと、タイミングを見て真岐に話してみようと思っていたのだが、こうして森永と臨時バディになれるのなら、彼に直接相談することができる。

森永はお洒落《しゃれ》なメガネ男子で、パソコン用のメガネだけでも何種類も持っている。今日はエメラルドグリーンの縁《ふち》のをかけている。

「カナメちゃん元気？」

こんなときなのにこんなことを聞くのは、彼女がカナメに気があるからだ。彼女が来たときから可愛い、可愛いと騒いでいた。森永は「僕」という自称が嫌味ではない良家のぼんぼんタイプで（実際そうらしい）、お嬢様ふうのカナメとはお似合いだ。ただ、肝心のカナメの方はまったく彼に興味なさそうなところが痛い。

「今日はオレ遅刻しちゃったんで、おごる約束をさせられました」

「それ、僕が代わってもいいよ」

はいはい注目と、猪瀬がぽんぽん手を打った。「うちの第二列とヘルプの二人に、この事件の専任になってもらう。検索ワードをチェックしてみて」

作業用モニターのウインドウに、複数の単語が表示されている。苫小牧、秋田、三島の地名と、判明している苫小牧の被害者の名前、〈プロファイリング〉、〈遺体損壊〉、〈バラバラ殺人〉、〈サイコキラー〉――見ているうちにもどんどん増えてゆく。映画や小説のタイトルも混じっているようだ。

「一列と三列は通常業務だけど、何か関連が出てきたらすぐ流して。明日の第三シフト明けまでこのメンバーでびっちり舐めたいんで、みんな頑張ってください」

クマーの勤務シフトは三交代制になっている。第一シフトが午前八時から午後三時、第二シフトが午後三時から午後十一時、第三シフトが午後十一時から翌朝の午前八時までだ。バイト組はこのシフトのなかに適宜組み入れられているが、こういう事態となったら話は別である。

「コウちゃん、今日は何時までの予定だった?」と、森永が訊いた。

「十一時から三時だったんですけど、もういいです。授業はパスします」

午後三時からふたコマ入っていたのだが、どちらも後で誰かからノートを借りれば済む。

「まだ授業あるのか。僕は冬休みに入ったから、最初からロングの予定だったんだ」

三年生だと、普通なら就活を始める時期だが、森永は大学院に行くと決めているので、余裕がある。

「オレも二十日から冬休みです。ていうか、もう勝手に冬休みにしちゃってもいいような授業ばっかりなんだけど」

「でもコウちゃん、ホントはあんまり大学サボらない方がいいよ——って、僕が言っても説得力ないかぁ」

「ないですねえ。ま、オレも勉強するときには勉強します」

ホワイトボードの前で話し込んでいた真岐と猪瀬が、メンバーたちの方へ向き直った。真岐が口を開く。

「この事件、長引くだろうからね。社内の呼称を決めておくよ。〈指フェチキラー〉」

十数人のメンバーたちから、小さく笑い声があがった。真岐も苦笑している。

「しょうもない名称だけど、そういう方がいいんだ。うちが犯罪を美化しちゃいけないからね」

「念を押すまでもないけど、ネットで他の名称がついてたら、検索ワードに載せてくれ」と、猪瀬が付け加える。「事件の呼称にこだわる書き手がいたら、それも要チェックだ」

じゃ、みんなよろしくと、真岐はオフィスを出て行った。猪瀬も自分のポジションにつく。椅子を引いて本格的に作業に取りかかろうとする森永に、孝太郎は小さく声をかけた。

「すみません森永さん。ゼンゼン別件なんですけど、今言っとかないと忘れそうだから。休憩のときにでも、あとでちょっと」

「どうかしたの？」

「身内のことで、学校裏サイトがらみの問題があって」

鮮やかなエメラルドグリーンのメガネの縁を指で押さえて、森永は小首をかしげた。

「コウちゃん、中学生の妹がいたよね？」

一美のことなんて、話したことがあるかどうか孝太郎自身にも判然としないのに、森永は覚えている。クマーで働く人たちはおしなべて記憶力がいい。

「幸い、オレの妹じゃないんです。近所の子なんですけど、最近いじめられてるらしいんですよ」

「わかった。あとで詳しく」

二人は作業に取りかかった。

孝太郎は、広域掲示板を舐めること自体が初体験だが、ネット上の膨大な情報が時々刻々と集合するその場に、犯罪がらみのスレッドが、漠然と想像していた以上に——それもふたまわりぐらい予想以上にたくさんあり、活発なやりとりが交わされていることに驚かされた。

一件目の事件のときから真岐の鼻が連続殺人の臭いを嗅《か》ぎつけていたことに感心したのは、ある意味では間違いだった。これらのスレッドには、そういう嗅覚《きゅうかく》の持ち主がごまんといた。しかも彼らは真岐以上に熱心に、この〈指フェチキラー〉の動向に注目し、独自の仮説や推測を立てていた。

秋田の事件が起こるまで、彼らはもっぱら「第二の事件はどこで起こるか」という推理合戦に熱中しており、推測される次の被害者——「潜在的被害者」を分析《プロファイリング》してさえいた。犯人ではなく、被害者をプロファイリングするなんて孝太郎には初耳だったが、アメリカの連続ドラマではストーリーのなかによく登場するらしい。

　苫小牧の被害者の身元は早々に判明したが、それでも当時はまだ一人だけである。当然、プロファイリングの材料も限られている。なかには、〈中目《なかのめ》〉という被害者の珍しい名字にだけこだわって、この犯人は珍名殺しをしているんだという自説をとくとくと展開している者もいた。

　それらの過去のやりとりの要旨をかいつまんだ〈まとめサイト〉もできていて、そこには登場した仮説や今後の検討事項が手際よく整理されていた。また、そこではこの連続殺人（推定）の犯人を、〈指ビル〉と呼んでいた。ただ、その由来がはっきりしない。ある有名なミステリー小説のなかのサイコキラーが〈ビル〉という名前だから、それになぞらえたと説明がついているだけだ。ここに集う者たちには、それだけでわかるのだろう。

　その一事を取り上げてみてもわかるが、彼らの大半は、この事件を小説かドラマのように見て熱中していた。第二の事件の前、次の事件が同じ北海道内で起こるか、本州その他へ飛び火するかと議論していた者たちは、秋田の事件が報道されると、当たった外れたと盛り上がっている。モニター上をスクロールする文字と絵文字だけの列を見ているのに、孝太郎はそこに、競馬場でレースが終了したとき、馬券を投げ上げて大騒ぎをする競馬ファンたちの像が重なってくるような気がした。

〈舐める〉作業をしているのだから、当然、指フェチキラーとはまったく関係のない内容のところもたくさんある。それこそが広域掲示板だ。最初のうちは、そういうところでも集中力を落とさないように読んでいくのが面倒だったけれど、指フェチキラーに熱狂するネット上の〈プロファイラー〉や〈犯罪心理学者〉たちに付き合っていくうちに、無関係な書き込みにほっとするようになってきた。政治家の悪口、芸能人のスキャンダル、書評に映画評エトセトラエトセトラ——

二時間後に十分の休憩があり、孝太郎は母・麻子にメールを打った。夕食は要らない、もしかすると徹夜になるけど、今日も明日も大学の授業の方は問題ナシ。それから少しためらった後、一美にもメールした。

〈ヘンなこと訊《き》くと思うだろうけど　近ごろミカに何か相談されてないか？　おばちゃんからちょこっと聞いたんだ〉

孝太郎たちが作業に没頭しているあいだにも、三島市で起こった三件目の事件の続報は入ってきたが、新しい情報はない。まだ被害者の身元は割れず、右足の中指の欠損についても詳細は不明のままだ。

ただ、ネット上はもちろん、テレビのニュースでも、三つの事件を関連づける報道が始まっていた。苫小牧と秋田を結ぶ線では騒がなかったメディアが、三島の事件が登場して出来上がった三角形には色めき立っている。

孝太郎もこのバイトをして初めて知ったことだが、ネットを多用する（とりわけよく発信する）人びとは、実はよくテレビを観《み》ているのだ。テレビで報じられたことは、瞬《またた》く間にネットで話題になる。だから指フェチキラーの件でも、わざわざテレビ画面を出してみなくても、ネット上の書き込みを追っているだけで、今どこの局のどのキャスターがこの事件についてどんなことを報じ、コメンテーターが何を言い、どのレポーターがどこにいるのか、ほとんどリアルタイムでわかってしまう。

メディア関連の識者や評論家たちが、「テレビは早晩ネットに滅ぼされる」なんて言ってるけど、あれは大きな勘違いだ。ネット社会の市民たちは、情報源の多くをテレビに依《よ》っているのである。もちろん、ネットで話題や議論になったことをテレビが後追いする場合もあるけれど、そんな現象を起こせるほどの発信力と情報判別能力のあるネットユーザーは、ごくひと握りに過ぎないだろう。大半のユーザーたちは、テレビや動画サイトから一次情報を得て、それについて書き込んでいるだけだ。あるいは、発信力の強い他のユーザーが書いたことを写したり、そこにちょっと尾ひれをつけて言い広める程度である。対象がアイドルタレント主演の新しいドラマであれ、人気ユニットの新曲であれ、政治家の動向であれ、流れはみんな同じだ。

　午後七時になって、森永と孝太郎は夕食休憩に入った。

「バイト君たちは一緒でいいよ。五十分ね」

　他の職場だったら、妙に刻んだ休憩時間だと思うだろうが、情報の変化が分刻みのこの職場では、別に奇妙なことではない。

「社長がみんなに弁当を差し入れてくれたんだ。休憩室にあるよ」

　一人ひとつだぞと、猪瀬が笑った。カナメほどではないが、クマーの社員にはけっこうな健啖家《けんたんか》が何人かいるのだ。

「ささっと弁当をいただいて、コーヒー飲みに行こう」

　森永は、さっきの孝太郎の話を覚えていてくれたのだ。外へ出ようと言っている。

　二人は休憩室で弁当をかきこみ、ロッカーからコートを出した。森水はパソコンの入ったバッグも引っ張り出す。外へ出ると寒気がきつく、呼気が白くなった。

　セルフサービス式のコーヒーショップまで歩きながら、孝太郎は事情を説明した。店に入ると、孝太郎がブレンドコーヒーを二つ買っているあいだに、森永は奥のテーブルに席をとってパソコンを立ち上げていた。

「サンキュー。二百円だっけ」

「いいですよ。相談料」

「ハハ、高いような安いような」

彼のノートパソコンには、オフィスで使うクローリング・ソフトが入っている。オフィス外へのソフトの持ち出しには、支社長の許可が必要だ。その際、ソフトをインストールするパソコンを提出して、ファイル交換ソフトが入っていないことを確認してもらう。その後も、一週間に一度の割合でパスワードを変更していることを島長《とうちょう》に報告する義務がある。けっこう厳密だが、それでもクローリング・ソフトを自前のパソコンに入れ、勤務時間外でもウオッチする社員は多い。義務感や責任感のためというよりは、それが習慣になってしまっているからだと、以前、前田が話していたことがある。孝太郎はまだそこまで入れ込んではいないが、森水は早々にその習慣に感染したクチだ。

「学校裏サイトのウオッチも、基本はドラッグ関連と同じだから、コウちゃんにもすぐできるんだけど」

森永は使い捨ての紙おしぼりで指を拭《ぬぐ》うと、ノートパソコンに向き直る。

「そんな親しい間柄の女の子のことじゃ、最初は僕が見た方がいい。僕たちの領分はナマな誹謗中傷《ひぼうちゅうしょう》が飛び交う世界だからね。ネットに慣れてるつもりでも、いきなり覗《のぞ》くとショック受ける」

森永はモニター上にウインドウを二つ並べた。右が作業用、左がウオッチ用だ。

「都内の公立中学だよね。学校名は」

「あおば中学校。あおばはひらがなです」

「あおばって学校は多いんだ」

「あ、生野《いくの》市立あおば中学校です。学校があるのは二番町で、オレん家《ち》とミカの家は桜桃《おうとう》町ってところにあります」

孝太郎が告げると、森永は検索バーに打ち込んでいく。

「桜桃町かぁ。きれいな名前の町だね」

「ベタな新興住宅地ですから」

「ふむ。美香さんは一年生、と。彼女に仇名《あだな》はある？」

「さあ……オレの妹は単にミカって呼んでるだけです」

「本人からメールもらったことあるかい」

「ケータイメールですけど」

「そこで本人が使ってた自称を覚えてる？」

すぐには思い出せなかった。オレもケータイ持って出てくればよかった。

「本人もミカって言ってると思いますよ」

森永が実行キーを押すと、しばらくして左のウインドウに短い一文が出た。

〈検索結果が多すぎて表示できません〉

「おっと、中学校じゃ珍しい」

そんなに多いなんてちょっと嫌だな。

「一応説明しとくと、学校裏サイトっていっても、ネット社会にそういうカテゴリーがあるわけじゃない。学校サイトというのは、その学校が運営している公式サイト、正規のサイトだ。裏サイトっていうのは、その〈正〉に対して〈裏〉としてまとまって存在しているわけじゃなくて、個々の生徒たちが自分の学校内部のことを話題に、好きなことを書いているサイトやブログのなかに、問題に発展しそうな——あるいは現在進行中の問題を反映している内容のものがある場合、便宜上、それを〈裏サイト〉と呼んでるわけだ」

同じ時期に入ったバイト同士なのに、森永の語り口調は既に熟練した社員ふうだ。

「だから最近では、〈裏サイト〉というこの呼称そのものを変えようという動きも出てきてる。正・裏という表現をすると、裏サイトが正規の公式サイトと並び立つもののような印象が生まれちゃうだろ？」

　孝太郎自身、今この時点までは何となくそう思っていた。

「適切な呼称って、何でしょうね」

「堅苦しくいくなら、〈学校非公式サイト〉だよね」と言って、森永はちょっと笑った。「それより、〈学校勝手サイト〉の方がいいって提案してるのは、うちの社長」

　山科さんらしいな、と孝太郎は思った。

「さて、あおば中学校では、今現在この勝手サイトがだいぶ盛り上がっているようだ」

　孝太郎はうなずいた。

「高校ならともかく、ケータイや自前のパソコンを持ってる生徒の数が限られる中学校で、さっきの検索ワードで表示しきれないほどの情報が出てくるってことは、たまたまミカさんという名前の一年生女子が十人もいて、その全員がネットで盛んに友達とおしゃべりしてるとでもいうのでもない限り――」

「炎上してる？」

　ネットに書き込む人たちが、ある話題に熱くなって次々とやりとりに参加する状態のことだ。

森永はコーヒーをひと口飲んだ。「いや、僕はそのタームは使わない。単に盛り上がっている。で、理由はふたつ考えられる。その一は、現在進行中のやりとりに大勢の生徒が参加しているケース。その二は、限られた人数の生徒がひっきりなしにやりとりをしているケース」

それって〈炎上〉とは違うのか。

「中学生がネットにアクセスするには、これくらいの時間がゴールデンタイムだ。だからどっちの可能性も考えられる」

孝太郎はうなずいた。さて、と言って、森永は指を擦り合わせる。

「もっと絞り込もう。美香さんは部活やってる？」

「軟式テニス部です」

答えて、孝太郎は少し躊躇《ためら》った。その表情に、森永が片方の眉毛《まゆげ》を上げた。

「美香が何でいじめられてるのかわからないけど、悪口のひとつとして言われそうな言葉は、オレ、見当がつきます」

「それ何？」

「〈土着民《どちゃくみん》〉」

森永は素朴にきょとんとする。

「ヘンですよね。でも本当なんです」孝太郎は苦笑してしまった。「さっき森永さん、きれいな名前の町だって言いましたよね。確かにきれいだけど、いかにも人工的な町名でしょう。ちなみに隣町は〈こもれび町〉っていうんですよ」

森永は笑わなかった。

「つまりその、昔は雑木林や農地だったところにデベロッパーが入って、大がかりに開発してつくった町なんですよ。昔といったって、たかだか二十年前ぐらいの話です」

「ふんふん」

「オレん家《ち》は、親父《おやじ》は姫路の出なんですけど、おふくろがこっちの人で。おふくろの両親は農業やってました。ハウス栽培でトマトとかつくってたんですけど、おふくろは一人娘で後を継がなかったし、祖父《じい》さんが割と早死にしちゃったんで、農業をやめたんです。オレは当時のこと知らないけど、話はずいぶん聞きました。うちの町だけじゃなく、生野市にはそういうケースがいっぱいあるんです」

「近在農家が失《な》くなって、農地が順々に宅地化されていった、と」

「そうです。だから――」

この話を、地元以外でするのは初めてだ。

「桜桃町とかこもれび町みたいな生野市の新興住宅地の住人は、大きく二つに分かれるんですよ。もともと生野に住んでいて、ほとんどの場合が昔は農家だった人たちと、宅地化されてからの生野に引っ越してきた人たち」

森永がゆっくりうなずいている。

「でね、もともとの地元民だった人たちは、今の新しい住宅地に入居するとき、優待されたんです。住宅ローンが低利で組めるとか、市から補助金が出るとか、あと等価交換で土地を手放した人たちもいるし」

「なるほどね」

「外から桜桃町やこもれび町に来た人たちには、そういう優待はありません。それと――これ自分で言うのは恥ずかしいんだけど、オレが住んでるあたりって、割と高級住宅地のイメージがあって」

「僕もそう思ってる。コウちゃんはいいとこの息子なのかなって、さっき一瞬思った」

森永の口調には揶揄《やゆ》や皮肉はなく、真面目《まじめ》な目をしていた。

「四年前に、渋谷まで直通の地下鉄が開通してからは、また地価があがったし。何となく金持ちがいっぱい住んでる町っていうイメージがあるし、実際、都心の大手企業の社員とか起業家とか、裕福な人が多いんですよ」

「んん、わかってきた」

　森永はまばたきをした。

「そういう裕福な住人の子女たち——もしかしたらその親にも相応のプライドがあって、同じ町に住んでいても、もともと生野にいた人たちとはレベルが違うと思ってる」

「事実、経済力の差があると思います」

「だから、もともと地元にいた住人を、〈土着民〉と呼ぶんだね。もちろん差別的な意図を持って」

「そうです。園井さんももとは農家でした。今も生野に少し農地を持ってて、日曜菜園をやってます」

　厄介だねと、森永はまばたきをした。そのまま無言で、検索バーに〈土着民〉と追加し、実行キーを押した。

　今度は、左のウインドウに文字列が溢《あふ》れんばかりに表示された。

「ちょっと待ってて。まず僕が見てみる」

　森永はノートパソコンの向きをずらして、覗き込もうとした孝太郎を制した。孝太郎はしばらくのあいだ、ぬるくなったコーヒーを飲み、店内に流れるBGMを聞いていた。

パソコンに目を落とし、画面をスクロールさせながら、森水が言った。「美香さんから、最近ボーイフレンドができたって聞いたことあるかい？」

まったく知らない。

「誰かにコクられたってことは？」

「聞いてません。一美なら知ってるかもしれないけど」

「美香さんが自分で自分のこと、ミカリンて呼んだことはある？」

孝太郎はへどもどした。「美香はおとなしくて、そんな目立つようなことしませんよ」

何かというと、勝ち気な一美の背中に隠れてしまう恥ずかしがり屋だ。

「だいぶ、書かれてるよ」

まだノートパソコンの画面を孝太郎から隠しながら、森永が言った。

「今ざっと見る限りでは、それほど大人数が関わってるわけじゃなさそうだ。みんな軟式テニス部の部員のようだけど」

一年生だけじゃない、と言った。

「受験の話が出てるから、三年生も混じってる。コウちゃんの妹の一美さんは二年生なんだっけ？」

「そうです」

「彼女の名前もちらりと出てる」森永は急いで手を振った。「悪口は書かれていない。ただ、三島さんにバレると面倒だって」

　孝太郎は思わずくちびるを噛《か》んだ。

「さかのぼって見ないとはっきりしたことは言えないけど、どうやら三年生のある男子生徒が原因らしいな。軟式テニス部の先輩」

　三年生は、もう部活を引退しているはずだ。

「そいつが率先して美香をいじめてるんですか？」

「そうじゃなくて、彼が美香さんに好意を持ったんで、ほかの女子部員たちが嫉妬《しっと》してるのさ。しきりとその話題が出てる」

　我慢が切れて、孝太郎は身を乗り出した。「どんなことを書かれてるんですか？」

　森永はホイールを操作して画面を動かし、

「かなりキツいよ」

と言ってから、ノートパソコンを孝太郎の方に向けた。

手《て》垢《あか》のついた表現には真実がある。だからこそ手垢がつくほど使われるのだ。孝太郎は我が目を疑った。

〈あのインバイがまだ学校に来てるのが信じらンない〉

〈土着民は図々《ずうずう》しいから〉

〈ミカリンちゃん　神経がないから殺しても死なかったりして〉

〈早く死なないかな　マジうざい〉

パソコン画面から目を上げると、森永の目と合った。

「ひどいね」

孝太郎は冷汗をかいていた。「インバイなんて——こいつら、意味わかって書いてるのかな」

冷めてしまったコーヒーには、薄いミルクの皮が張っている。香りもとんでしまった。

「お冷や、もらってくるよ」

森永が席を立ち、すぐに水の入ったグラスを手に戻ってきた。二人は黙って水を飲んだ。

ノートパソコンの画面の輝度が落ちた。〈インバイ〉〈早く死なないかな〉という言葉が少し暗くなる。

「美香さんのお母さんは、学校に呼び出されてるんだよね？」

声を低めて、森永が訊いた。孝太郎はグラスを握ったままうなずいた。

「ってことは、学校側もこの裏サイトに気づいてるんだろうな。お母さんを呼び出して、どんな話をしたんだろう」

そのとき、孝太郎は気づいた。逆の可能性もある。「美香のおふくろさんが呼び出されたっていうのは、あくまでも美香のばあちゃんの話です。もしかしたら、おふくろさんの方から学校に行ったのかも」

「それは、美香さんがこの件をお母さんに相談してればの話だけどね」

「本人はこのサイトに気づいてますよね？」

「仮にサイトには気づいてなくても、これだけのことを書いてる女の子たちが、教室や部活のなかでは美香さんと仲良くしてるとは思いにくいよ。必ず、何か起こってる。美香さんは自分が攻撃されてると知ってる」

但《ただ》し、それを貴子さんや一美に打ち明けているかどうかはわからない。

グラスを置き、森永はノートパソコンの終了処理をした。店の時計を見ると、午後七時四十五分だ。

「とりあえず、コウちゃんは何もしない方がいい。というか、できないよ」

パソコンを閉じてバッグにしまい、ため息をつく。「学校が動いているのが、せめてもの救いだ。美香さんのおばあちゃんには、あんまり心配しないように言ってあげるといい。それと、美香さんのご両親に」

「両親は離婚してて、母親だけなんです」

森永は痛そうな顔をした。「そっか。お母さん、どんな人？　こういう事態におろおろしちゃうタイプかい？」

園井貴子はそんなタマではない。「その辺の男どもより漢《おとこ》らしい人ですよ。仕事もできるみたいだし。だから忙しそうです」

「じゃ、お母さんにだけこっそり、コウちゃんのバイトのこと説明してさ、クマーに相談するように言ってあげなよ。公《おおやけ》に窓口を設けてるわけじゃないけど、うちは、学校裏サイトについては個人からの相談にも応じてる」

「かえってややこしくならないスかね」

「学校側は、こういうとき守りに入るからね。必ずしも美香さんの味方をしてくれるとは限らない。弁護士みたいな感じで、美香さんとお母さんに助言してあげられる存在がいた方がいいと思うんだ」

バッグを肩に立ち上がりながら、森永は念を押すように言った。「くれぐれも、コウちゃんが一人で相談相手になっちゃいけないよ。僕もコウちゃんも、まだそんなレベルじゃない。いいね？」

「わかりました」

身体《からだ》が重かった。気持ちとしては足を引きずるようにして、孝太郎はオフィスに戻った。

席につくと、静岡県三島市の衣装ケースの死体について、続報が入っていた。この遺体が当初、性別さえ報じられていなかった理由がわかった。右足の中指が欠損している死者は、豊胸手術を受けた形跡のある、女装した男性だったのだ。

4

「少し散歩に行きますか」

ベランダに通じる掃き出し窓を閉めながら、俊子《としこ》が声をかけてきた。南向きのベランダには日差しが溢れ、俊子が干したばかりの洗濯物が揺れている。

「今日は寒い」

都築茂典《つづきしげのり》は、テレビの前に座り込み、フローリングの床に新聞紙を広げて足の爪《つめ》を切っているところだった。俊子が窓を開け閉《た》てしたので、新聞紙が風でめくれ、切ったばかりの爪が少々飛び散った。

「もう師走《しわす》ですからね。そりゃ冷えますよ。だけど今日はこんなにいいお天気よ」

俊子は窓から青空を仰ぎ、日差しに目を細めた。新宿区若葉町の一角、築三十年の五階建てマンションで、都築家は三階の東南角部屋にあり、ベランダのある側が小学校と公園に隣接しているので、日当たりも風通しもいいのが取り柄である。

「先生も、無理のない範囲で散歩した方がいいっておっしゃってたでしょう。足の血行がよくなるから」

「今日は無理なんだ」

都築は老眼鏡を指でずりあげた。

「調子、悪いんですか」

「歯を磨いてるだけで足が痛かったよ」

俊子はため息をついた。「だったら、そんなふうに前屈《まえかが》みになって爪なんか切ってちゃいけませんよ。あたしが切ってあげるのに」

とんでもないと、都築は思う。女房に足の爪を切ってもらうなんて、耄碌《もうろく》ジジイみたいじゃないか。俺はまだ六十三歳だ。

「じゃ、あたしは買い物に行ってきますけど……ホントに爪、いいんですか」

「自分でできる」

「お昼、何を食べたいですか」

「何でもいい」

「夕飯のおかずは？」

「何でもいい」

そういうのがいちばん困るのよねえと文句を垂れながら、俊子は玄関先でコートに袖《そで》を通した。ドアが開閉する音が響いた。

テレビでは、午前八時から始まった朝のニュースショーが、芸能情報を取り上げていた。間もなく十時、次の番組に切り替わる。替わったところで、番組名と司会者が違うだけで内容は似たようなものなのだが、またあのニュースが報じられるだろうと恃《たの》んで、都築はテレビをつけっぱなしにしていた。

昨日の昼過ぎに最初の一報が入った、静岡県三島市内で発見された遺体の件だ。昨夜までの段階では、遺体が女性の服装をしているが生物学的な性別は男性であること、豊胸手術を受けていること、右足の中指が欠損していることまでしか報じられていない。今朝の朝刊にもそこまでの情報しか載っていなかったが、テレビはもう少し足が速い。ニュースショーの冒頭で、遺体の身元と、ベルト様のもので絞殺されていること、右足中指は被害者の死後、おそらくハサミで切り取られたらしいことを報じていた。

そう、今朝になって、三島市内の山林に放置された衣装ケースのなかにあった遺体は、はっきり〈被害者〉になった。それも〈三人目の被害者〉と。

今の都築は毎日が日曜日だから、新聞は朝夕刊ともに舐《な》めるように読む。だから、六月一日に北海道の苫小牧で起こった事件のことは、当時からチェックしていた。その後、九月二十二日になって秋田で起きた二番目の事件も知っている。都築はこの時点でスクラップを作り始めた。この二件は繋《つな》がっているし、まだ続きがあるぞという勘が働いたのだ。

その勘はあたった。都築はちっとも嬉《うれ》しくない。苫小牧、秋田の時点ではベタ記事扱いにしかしなかった新聞諸紙と、アイドルタレントの恋愛沙汰《ざた》や政治家の醜聞を取り上げて騒ぐことばかりに血道《ちみち》をあげていたテレビのニュースショーが、今になってやれ連続殺人だやれサイコキラーだと騒いでいるのに鼻白んでいる。

三島市内の三人目の被害者は、戸尾《とお》真美《まさみ》、三十五歳。浜松駅の近くでスナック〈ほのか〉を経営しており、常連客たちからは〈真美ママ〉と呼ばれて親しまれていたという。彼の周囲の人びとは、もちろん、彼が豊胸手術をし、定期的に女性ホルモンの投与を受けていることを知っていた。真美ママは、彼と同じように性同一性障害《せいどういっせいしょうがい》に悩む若者の相談に乗るボランティアグループの一員でもあった。

テレビのレポーターのインタビューに答える常連客たちは、一様に驚き悲しんでいた。途中で泣き出してしまった若い女性もいる。「いい人だった」「いつも明るくて元気いっぱいで」「お酒は強かったし、料理も上手だった」「真美ママは誰かの恨みをかうような人じゃない」――

テレビの映像では彼らの顔は映っていないが、それら感情の発露に嘘《うそ》がないことは、都築にはわかった。これも永年の勘だ。戸尾真美は周囲の人びとに愛され、必要とされていた。彼のまわりには、彼を慕い、頼りにする人びとが集まっていた。今現在、特定の恋人はいなかったようだが、本人はよく、「いい恋をしたい」と言っていたそうだ。

戸尾真美が最後に目撃されたのは、一昨日《おととい》、十二月十四日の午前一時過ぎ。〈ほのか〉の看板の時間で、最後まで残っていた二人連れのサラリーマン客を見送ったときである。〈ほのか〉にはアルバイトの女子店員が一人いるが、彼女は学生なので、毎晩十時には帰宅する。だから戸尾真美は一人で店じまいをし、自分の車を運転して、店から十分ほどのところにある自宅に帰るのが習慣だった。古い一戸建てを借りて一人住まいをしており、猫を二匹飼っていた。

それ以降、翌十五日の午前十時過ぎに三島市内の山林で変わり果てた姿で発見されるまでの戸尾真美の動向は、今はまだわからない。静岡県警は捜査本部を立ち上げ、戸尾真美の自宅と〈ほのか〉を調べている。どちらかが殺害現場だろう。どちらでもなければ、彼の愛車の車内だろう。

戸尾真美が大事に手入れして乗り回していたという黄色いフォルクスワーゲンは、まだ発見されていない。彼はこの車を「あたしのイエロー・サブマリン」と呼んでいたそうだ。「あたしの幸運のお守りだ」と。

戸尾真美は三島市の出身だった。自営業を営む父親と母親が、そこに住んでいる。真美は地元の高校を卒業後すぐ東京に出たが、三十歳を目前にして静岡に帰り、浜松で〈ほのか〉を始めた。三島と浜松はさして離れているわけでもないが、彼が静岡に帰りながら生まれ育った三島からはある程度の距離を置いて商売を始めたのは、両親とのあいだに解決しきれない葛藤《かっとう》もしくは軋轢《あつれき》があったからのようだ。彼の両親はまったく取材に答えていない。しつこくインターフォンを鳴らすレポーターに、父親が

しゃがれた声で、

「まさよしとはもう縁を切っていました」

と、短く応じただけである。

戸尾真美を殺害し、その遺体を衣装ケースに詰め込んだ犯人は、そういう事情を知っていたのだろうか。知っていたろうと、都築は思う。だからわざわざ三島市内へ遺体を捨てに行ったのだ。しかし、真美に対する後ろめたさや何らかの温情があったから、彼を生まれた町へ連れて行ったのだとは思えない。真美が生まれ、育ち、しかしある時期に飛び出さずにはおられず、親から縁を切られて帰ることが許されなかった土地へ、季節外れの衣類のように衣装ケースに詰め込んだ彼の亡骸《なきがら》を持っていって投げ捨てたやり方には、底意地の悪い揶揄が感じられる。

そこまで考えて、都築は自分にかぶりを振った。いかん、考えすぎだ。想像しすぎている。現役のころから都築にはこういうヘキがあり、しばしば上司や同僚に注意されたものだった。

都築は元警察官である。生まれは東京の下町で、都立高校を出て警視庁に入った。地域課の制服巡査の期間が長く、ざっと二十五年を都内の交番を転々として過ごしてから、大崎署で初めて刑事になり、刑事課に配属された。そこからはほぼ刑事畑ひと筋でまた各署を転々としたが、五十を目前にして本庁捜査一課に移った。その歳《とし》になって、刑事捜査の実績を買われたわけではない。当時の一課長だった人物が所轄《しょかつ》時代の都築を知っており、どういうときでも感情的にならず、上司と現場の若い者たちのあいだに入って調整役を務める都築の気質を評価してくれたのだ。

二一世紀に入り、凶悪犯罪の発生件数そのものは減少しているのに、都民の体感治安は悪化している。発生する事件の犯状が悪辣《あくらつ》、残虐《ざんぎゃく》、冷酷で、しばしば理不尽・不条理であることが、都民の不安をかきたてているのだ。その空気のなかでは、事件を捜査する側もどうしても神経を尖《とが》らせ、よろずにピリピリせざるを得ない。都築の実感としても、彼の若いころより、メンタルケアを必要とする現場の警察官が増えた。つまり都築は捜査一課という最前線のクッション役、そのロールモデルとして呼ばれたのだった。

都築は一課三係の第二班、班長の名をとって通称〈枝野《えだの》班〉で働いた。そのまま退官まで一課にいることはないだろうと思ってはいたものの、まさか自分から異動願を出す羽目になるとは思わなかった。

枝野班で六年目になって、都築は仕事の折々に、足に痺《しび》れを覚えるようになった。最初は季節の変わり目や、朝晩の気温の高低差が激しいときに限られていたのだが、だんだんと日常的なものになり、やがて痺れに疼痛《とうつう》が加わるようになった。左足の太ももの裏が痛み、突っ張るような感じがして、歩きにくい。

定例の健康診断では、整形外科的な検査まではしない。わざわざ病院まで行かなくてはならなくて面倒くさいし、なかなか時間がとれない。それに都築は、これを早めにきた老化現象だと思っていた。同僚には椎間板《ついかんばん》ヘルニアを患《わずら》っている者も多い。足で歩き回る刑事に、腰痛《ようつう》や膝痛《しつつう》はつきものだ。ある程度の年齢に達したら、みんなどこかしら傷《いた》んだ身体をだましだまし奉職している。だから都築も、暇を盗んでマッサージに行ったり、湿布を貼《は》って済ませていた。

ところが足の痛みは、じわじわと、それでは騙《だま》しきれないものに育っていった。年末の冬の寒さが厳しくなるころには、朝、自力でベッドから起きるのも辛《つら》くなっていた。歩くときだけではなく、立っていても足が痺れる。

それまでは湿布だらけの都築を横目で見ていた俊子が、怒った顔をして、近所の病院の予約をとった。渋る都築を引っ張って行って検査を受けさせると、医者は軽度の椎間板ヘルニアだという。神経ブロックという処置を受けて、一泊だけ入院した。痺れは残ったが痛みは嘘のように消え、都築は上機嫌でその年を越したが、梅の花が咲くころになると、痛みが戻ってきた。また神経ブロックを受け、すると軽快し、しかし数ヵ月で元の木阿弥《もくあみ》になる。それを三回繰り返してまた痛みと痺れに足を引きずるようになると、都築は自分に見切りをつけた。この状態では枝野班のお荷物になるだけだ。医師の診断書にこれまでの治療の経過説明書を自分で書いて添え、異動願を出すと、私服刑事生活の振り出しだった大崎署の防犯課に配属された。そこで防犯相談員として三年働き、退官目前の五十九歳で資料課に移った。そのころにはもう、都築は杖《つえ》がなくては歩けなくなっていた。

俺は運がない。これは体質だ。おふくろも膝《ひざ》が悪くて晩年は歩けなくなったし、おやじも腰痛持ちだった。仕方ないと言う都築に、俊子はまた目を三角にして、今度はもっと専門の医者に診てもらえとせっつく。都築は聞こえないふりをしていた。

退官後の就職先には、都内のスーパーの防犯担当主任というポストを紹介された。週に三日顔を出し、日報を読んだり警備会社の担当者と打ち合わせをしたりするだけの閑職で、まあスケールの小さい天下りである。現役のころよりぐっと身体が楽になり、気も軽くなり、そのせいか足の疼痛も薄らいだ（ような気がした）から、ますます俊子の助言には耳を貸さなくなった。もともと都築は医者嫌い、病院嫌いでもある。

退官を期に、ひとところに落ち着くことにして、今のこのマンションを買った。六十平米足らずの２ＤＫだ。都心にあるのに、古いから値段は手頃だし、造りがしっかりしているところが気にいった。新宿のこのあたりは、都築が若い交番巡査だったころに配属されていた地域で、いわば警察官としての青春時代を過ごした町だ。何となく郷愁もあった。

都築と俊子には子供がいない。だから夫婦のどちらにも持ち家志向はなかったが、いずれ年金暮らしになったら、賃貸契約したくてもできなくなるかもしれない。ここを終《つい》の棲家《すみか》にしよう。すっかり使い慣れた杖とも、死ぬまでずっと付き合うことになると思った。

ところが、今年の五月中頃のことだ。都築は珍しく風邪をひいた。三八度の熱を出してひと晩寝込んだら、両足が痺れてトイレに立てなくなっていた。俊子の手を借りて何とか起き上がると、左の腿《もも》の裏側が鉄板でも仕込まれたかのようにパンパンに突っ張り、足を持ち上げることさえできない。

都築は、また神経ブロックを受ければいいと言った。俊子は聞かなかった。パソコンであれこれ調べて、整形外科の評判がいいという病院に、都築を連れて行った。そこで診断してもらうと、確かに軽度の椎間板ヘルニアはあるが、都築の足の痺れと疼痛の原因はそれではないという。

——脊柱管狭窄《せきちゅうかんきょうさく》症です。

腰椎《ようつい》がズレて足の神経を圧迫しているのだという。

――一般的に、閉経期以降の女性に多く発症するものですが、男性にも見られます。アスリートや、クラシック音楽の指揮者にも多いという。そういえば、テレビで毎日顔を見る人気司会者の男性が、何年か前にこの症状で手術を受けたと、俊子が思い出した。

――原因は不明ですが、治療は可能です。

手術して腰椎のズレを直し、ボルトで固定するのだそうだ。

――もっと早く受診されていれば、何年も苦しむ必要はなかったんですよ。あまり長いあいだ圧迫されていると、神経が元に戻るのにも時間がかかるんです。

理不尽な病気だと、都築は思った。痛むのは足なのに、原因は腰にあるという。都築は腰痛を感じたことはない。腰のせいだなんて、夢にも思ったことがなかった。

もっと早く受診すればよかったという医師の弁には、もうひとつ理由があった。俊子がねじり鉢巻きで調べあげたこの病院は確かに全国レベルで有名で、とりわけ脊柱管狭窄症の治療には定評があるので、手術の順番待ちの患者が列をなしているというのである。

――病室が空《あ》くまで、三ヵ月から半年待っていただくことになります。

以来、半年どころか師走に入った現在まで、都築は順番待ちをしている。結局、スーパーの防犯主任も辞めて、今は無職だ。

一途《いちず》な仕事人間が、定年退職後の人生で別の生き方を見つけるというのは、昨今、珍しいことではない。家事の面白さに目覚めたり、新しい趣味を持ったりする。都築も現役時代の終盤には、自分の晩年を、漠然とではあってもいろいろ想像したものだ。苦労ばかりかけてきた倹子に、少しはいい思いをさせてやりたい。あちこち旅行しようか。都築が料理を習って、食事の支度を引き受けるようにしてもいい。もともと台所に立つのは嫌いではなかった。ごく若い時期を除いて、機会がなかっただけだ。

そんなあれこれの予定というか空想も、現在はすべて棚上げ状態である。警察官というものは、捜査畑だけに限らず、どんな役務についていても辛抱第一の職業だ。勇気と同じくらい根気と我慢強さがなければ務まらない。都築はその点で優秀な警察官だった。これは自負ばかりではなく、周囲からそういう評価を受けることは多かった。

――もういっぺん。

それが枝野班当時の都築の決め台詞《ぜりふ》で、他の班の連中のあいだにまでよく知られていた。実りのない地取《じど》り捜査を続けているとき、あてのない目撃者捜しをしているとき、犯人の遺留品の出所をたぐっているとき、まわりの者たちがもう駄目だ、もうこれ以上続けても収穫はないと根をあげるとき、いつも都築は言うのだった。もういっぺん行ってみよう。もういっぺん訊いてみよう。もういっぺん調べてみよう。だがしかし、今の状態でひたすら待ち続けるのは、さすがに辛い。もう一日待とう、さらに一日待とう。その積み重ねの負担が、ズレている腰椎が神経を圧迫しているのと同じように都築の喜怒哀楽を圧迫し、麻痺《まひ》させかけている。結果として日々仏頂《ぶっちょう》面《づら》をさげて暮らすことになり、俊子もしんどそうだ。むしろ都築が忙しくて不在がちだったころの方が楽だったのではないか。それがまた歯がゆく、腹立たしい。

毎日することがないと、爪を切るなどという些細《ささい》なことが、かえって億劫《おっくう》になる。都築はのろのろと切った爪を捨て、新聞紙を片付けた。

よっこらしょとソファに腰をおろし、窓から師走の青空を眺めて、やっぱり散歩に行けばよかったか――と思っていると、玄関のインタフォンが鳴った。俊子の希望で取り付けたカメラ付きのインターフォンだ。小さなモニターを覗いてみると、野呂繁《のろしげる》の顔が映っていた。

「おはようございます」

都築がドアを開けると、野呂は丁寧に挨拶《あいさつ》をした。

「午前中からすみませんね。野暮用《やぼよう》がありまして」

野呂は今年七十八歳。この若葉町で生まれ育ち、太平洋戦争も大詰めのころに何年か東北で学童疎開《そかい》生活を送った以外は、根が生えたようにここに住み着いている人物だ。永年、若葉町の町会長を務めている。

「まあ、どうぞ」

都築がかがんで客用のスリッパを出そうとすると、いやいやここでいいよと、野呂は気さくに言った。「都築さんは座ってくださいよ」

玄関先には、都築が靴を履き脱ぎするときのために、スツールを置いてある。

「実は、ちょっと見てほしいものがあって、寄らせてもらったんですけどね」

野呂家の家業は煙草屋《たばこや》だ。店は小さいし、この嫌煙権時代では商売あがったり（とりわけあのタスポとかいうカードができてからこっちはひどいもんで）だそうだが、ほかにアパート経営もしているので、経済的にはゆとりがある。

今日もアルパカの混色編みのフード付きコートに、派手なロゴの入ったスニーカーを履いており、小洒落《こじゃれ》ていて暖かそうだった。そしてそのコートのポケットから、コンパクトで多機能なデジタルカメラを取り出した。慣れた手つきでボタンを操作しながら、

「都築さん、井田町《いだちょう》のお茶筒ビル、わかるでしょう？」

井田町はこの若葉町の隣町だ。二つの町は、新宿という、〈繁華街〉という言葉ではくくりきれない地域のなかに、ぽつりと取り残された旧《ふる》い場所である。戦前から住み着いている世帯の木造家屋が残っている。戦後すぐにできた文化住宅の並ぶ一角もある。それでも、八〇年代半ばから九〇年代初めのバブル経済のころ、ずいぶんと地上げで荒らされて、旧い建物が消え新しいマンションや雑居ビルになったが、このあたり一帯がすべて生まれ変わる前に、あえなくバブルは崩壊してしまい、地上げは終わって更地《さらち》になったが上物《うわもの》は建たないままの土地が、町のなかに歯抜け状に残って、防犯上も好ましくない環境になった。

あれから二十年、だんだんと回復が進み、歯抜けだったところに雑居ビルが建ったり、ワンルームの賃貸マンションが建ったり、コインパーキングができたりして、一応、町は体裁を取り戻した。もうあんなバカ景気は二度と来ないだろうから、この先の変化は緩慢だろう。年配者の病の進行が遅いのと同じく、老いた町の変化も遅い。

野呂の言う〈お茶筒ビル〉というのは、バブルの次に、二〇〇〇年代の頭になって到来したＩＴバブルとやらの際に、井田町の一角の月極《つきぎめ》駐車場だった場所に建ったものだ。四階建てのこぢんまりしたビルで、ちょうど茶筒みたいな恰好《かっこう》をしているから、近所の人間たちはこう呼んでいる。

　ＩＴバブルは、台風だった先のバブルに比べたらゲリラ豪雨みたいなもので、期間も短かったし効果（もしくは被害）も局所的なものだったが、潤《うるお》ったところは莫迦《ばか》に潤ったわけで、井田町のこの土地を買い、お茶筒ビルを建てたのも若いＩＴ長者だった。野呂会長がつかんだ情報によると、どうやら青年社長が取り巻きたちと群れて遊ぶために使われていたらしい。一種の倶楽部《くらぶ》だ。たったそれだけのために、小さいながらもビル一棟建ててしまうのは凄《すご》いが、一見してビジネス仕様のビルではないから、飽きたらテナントを入れるつもりだったのだろう。

　形状は確かに茶筒なのだが、細部は微妙に凝っており、張り出し窓に凝った形（アートワークというやつだろう）の鉄格子《てつごうし》がついていたり、壁面にレリーフがあったり、屋上のぐるりが中世の城の塔のような造りになっていたりする。都築の目にはこのビルが、世界遺産に登録されているヨーロッパあたりの古城や修道院の塔の、安手《やすで》の模造品のように見えた。事実、お茶筒ビルの全盛期には、出入口の扉の両脇《りょうわき》に、甲冑《かっちゅう》姿の騎士と、ローブをまとった女神の石像が据えられていたのだそうだ。

　ＩＴバブルが去り、オーナーの青年社長が生粋《きっすい》のビジネスマンではなく、博徒《ばくと》的なにわか長者にすぎなかったということが露呈した後、このビルは運命の波に揉《も》まれた。節税対策だったのか、法人名義になっている上に、二重、三重に抵当権が設定されており、所有権や使用権を主張する権利者が入り乱れていて、紛争が絶えない。民事訴訟が起こって、管財人により建物への出入りが禁止されたこともある。そちらは何とか解決を見たようだが、以来、突貫工事で内装替えをして何か商売屋が開業（美容院だったりバーだったりレストランだったり）したかと思うとやがて閉店し、また突貫工事で次の商売が始まるということを繰り返してきた。

　ちょうど都築が若葉町のマンションに越してきたころ、それらの動きも止まってしまって、お茶筒ビルは今や立派な廃ビルである。噂《うわさ》では、件《くだん》のＩＴ長者の離婚した妻が土地建物の所有権の半分を勝ち取ったのだが、残りの半分の権利の整理がつかないので、売買できない。賃貸者も、駅から半端《はんぱ》に遠い上に、何となく験《げん》が悪いというので嫌って居着かないらしい。

「あのビルがどうかしたんですか」

「どうもこうも……」

「パトロールで何かあったとか」

　お茶筒ビルの出入口は封鎖されているが、なにしろ無人の廃ビルだから、監視する目がなかった。どういうわけかこうした場所を好み、目ざとく見つける若者グループがなかで騒いだりすることがあり、一年ほど前には小火《ぼや》騒ぎもあった。それ以来、井田町を含むこの地区の連合町内会で定期的にパトロールをしている。といっても、ビルの外側から様子を見るぐらいのことしかできないのだが。

「そんな現実的な話じゃないんですよ。もっと何かこう、面妖《めんよう》なことでねえ」

目的の画像を呼び出せたのか、野呂はデジタルカメラの小さなモニターを都築の目の前に差し出した。

「これ、見てください」

モニターに映っているのは、お茶筒ビルの屋上部分だ。地上から仰いだのではなく、どこか同じくらいの高さで、一〇メートルばかり離れたところから撮っている。

「千草《ちぐさ》さんとこの窓から撮ったんです」と、野呂はすぐ言った。千草タエは、井田町の町内会副会長の、一人暮らしの老婦人である。

都築は文字通り目をぱちくりさせた。「これがどうかしたんですか」

その映像は確かに面妖ではあるが、お茶筒ビルを知っている近所の人間たちにとっては、別段珍しいものではなかった。

「これ、あのヘンテコな像でしょう」

お茶筒ビルの屋上の縁《へり》には、西洋的な怪物の像が一体鎮座しているのだ。都築も初めて見たときには驚いた。

この怪物はいわゆる〈ガーゴイル〉というもので、ざっくり言うなら背中に翼を生やした小鬼のような姿をしている。ただ、顔と耳の形は、本邦の鬼というよりは凶悪な蝙蝠《こうもり》のようだ。ちょっと調べてみたら、これはゴシック建築に特有の装飾品であると同時に、本来は雨水の落とし口としての機能を持つものなのだそうだ。

お茶筒ビルの場合はただの飾りものに過ぎないはずだ。このガーゴイルは正面出入口のほぼ真上に位置しており、周囲に雨樋《あまどい》のような設備は見当たらないから、雨が降ったら出入りする人びとの頭の上にだばだばと水が流れ落ちてきてしまうことになる。

訝《いぶか》る都築に、野呂はいたずら小僧のような笑顔を向けてきた。若向きの恰好をしているだけでなく、野呂は年齢よりはるかに若々しいので、そういう笑顔がよく似合う。

「そうなんですが、ひとつ間違い探しをしてみませんか。この怪物の像、今まで私らが眺めてきたのとは、ちっと違っているんです」

都築はあらためてデジカメのモニターを見つめた。今度は野呂の手からデジカメを受け取り、目を近づけてとくと見た。

「千草さんが気がついたんです。あの人の家の窓からは、否応《いやおう》なしにこいつの背中が見えますからね」

なるほど、そうか。うなずいて、都築はモニターに目を据えたまま言った。

「何か持ってますな」

そうなんですよと、野呂はちょっと嬉しそうに言った。「持っているというか、担《かつ》いでいるというか。これ、棒ですよねえ」

野呂の言うとおりだ。うずくまっているガーゴイルの右肩から斜め上に、長い棒が突き出している。こんなものは今までなかった。

「棒というか——私の目には何かの柄《え》みたいに見えますが、いつからこんなふうに？」

「千草さんが言うには、一週間ぐらい前からだそうですよ。ほら、大雨が降ったでしょう？」

都築も覚えている。師走だというのに台風のような荒れようで、しかし降ってくる雨は氷のように冷たかった。

「あの雨の翌日、朝、歯を磨きながら窓からひょいと見たら、こいつの肩からこの棒が突き出していたっていうんです」

千草タエは、最初は見間違いだと思ったのだそうだ。

「歳だから、目が弱ってきてるからね。でも、気になるから明くる日も見てみたら、やっぱり棒がある。何だろうなあ、おかしいなと」

ここで野呂はまた苦笑した。「で、ここからさらにおかしな話になるんだけど」

お茶筒ビルの上の怪物が、毎日、微妙に動いているのだという。

「千草さん、今までこんなに一生懸命あの怪物を観察したことはないんだから、確かだっていうんです」

昨日は完全に背中を向けていた怪物が、一夜明けたらやや右向きになっている。あるいは翼のたたみ方が少し違う。座っている位置が異なる。頭のかしげ方が違う。右肩から突き出している棒の角度も、ほとんど真《ま》っ直《す》ぐ立っているときもあれば、四十五度ぐらいのときもある。

野呂の苦笑につられて、都築も笑った。「まるで生きものみたいですなあ」

「いやホント、あたしも笑ったんですよ。そしたら叱《しか》られちゃいました」

あれが銅像なのか石像なのか知らないが、とにかく置物だ。(千草タエの表現では)悪趣味な飾りものだ。そんなものが自分で動いたり、どこかから棒を持ってきて担いだりするわけはないんだから、誰かがそういうイタズラをしているに決まっている。

「由々《ゆゆ》しい事態だ、物騒だって」

「そりゃまあ、ねえ」

廃ビルにまた誰かが入り込んでいるというだけでも剣呑《けんのん》だが、件の棒のようなものが後《あと》から取り付けられたのであるならば、一応はプロが据え付けた（はずの）ガーゴイルよりもいい加減な付け方をされているだろうし、となると、何かの拍子に落下してくる可能性もある。

もともと、無人のビルの屋上にあんな置物を放置しておいていいのかという懸念《けねん》は、以前からあった。あの怪物だって、風雨にさらされて材質が劣化したり、ひびが入ったりするかもしれない。つるりとしたフォルムのものではないから、どこか一ヵ所が欠けたりして落ちてきたら、それだけで充分に危険だ。

「それで千草さん、伊《い》藤《とう》さんに相談に行ったんだけど、ちょうど入院中だもんでね」

野呂は頭を掻《か》く。伊藤吾《ご》郎《ろう》は井田町の町内会長だ。やはり年配者で、持病があるので定期的に入院する。

「だから野呂さんにお鉢が回ってきたんだ」

「まあ、あたしら永い付き合いだから」

野呂が相談を受けたのは昨日の午前中のことで、デジカメの写真もそのとき撮った。

「千草さんは少し騒ぎすぎだと思うけども、あたしも気にならないわけじゃないし、ちょっと調べてみようかと思って、昨日は半日、あっちこっちに掛け合っていたんですよ」

お茶筒ビルに立ち入るには、今現在、誰の許可を得ればいいのか。

「いやはや大変でしたよ。結局、前の持ち主の別れた奥さんが再婚した旦那《だんな》のやってる会社が、あのビルについての窓口になってるっていうから、そっちの許可を取り付けて」

聞くだけでも面倒な話だ。

「じゃ、なかに入れるんですね」

「ええ。その会社の若い人が、これから鍵《かぎ》を持ってきてくれるんです」

それでね都築さんと、野呂は声をひそめた。

「こういうとき、交番のおまわりさんに頼んで一緒に来てもらうっていうのは、駄目ですかねえ」

都築はこんな健康状態なので、当面は、町内会の役員として活発に動き回ることはできない。ただ彼の前職を知ると、野呂はすぐに何かと頼りにしてくれるようになった。都築もできるだけそれに応えるように努めている。

「そうだなあ……」都築は腕組みをした。「その、窓口になってる会社はどう言ってるんですか」

「侵入者なんて大げさだって笑ってますよ。念のため確認するだけなんだから、警察なんか呼ばれちゃ外聞が悪いって」

「今さら外聞も何もあったもんじゃないと思うけど、それだと駄目でしょうねえ」

「やっぱりそうか。いや、まだ何か盗《と》られたとか壊されたとか、はっきりしてないからね。無理だろうなあとは思ったんだけど、なにしろ薄気味悪いからさ」

　元気に町内会長を務めているとはいえ、野呂だって立派な高齢者なのだ。初対面の人間と二人きりで廃ビルに踏み込むのは心細かろう。

　都築は言った。「私がお供しましょうか」

　野呂は驚いた。「いけませんよ、都築さん。あんたその足じゃ」

「ゆっくり歩くなら大丈夫ですよ」

「電気がきてないから、エレベーターは使えませんよ。屋上まで階段をのぼるんだからさ」

「会長がのぼるんなら、私だって」と、都築は笑ってみせた。「歳は私の方がずっと若いんですから」

「そりゃそうだけども」

「これからすぐ行くんでしょう？」

　野呂はちらりと腕時計を見た。「ええ、ビルの前で待ち合わせしててね」

「だったら杖を取ってきます」

都築は居間に引き返し、まず俊子宛《あて》にメモを書いて、マグネットで冷蔵庫に貼り付けた。

〈野呂さんと出かけてくる〉

古ぼけて薄べったくなったダウンジャケットを着込み、マフラーを巻く。携帯電話をポケットに入れ、そのときふと思いついて、いくつかの品を一緒にポケットに突っ込んだ。

「すみませんねえ」

アルパカのコートの野呂と連れ立つと、ファッションだけでなく、杖と歩き方のせいで、都築の方が年寄りに見えた。

お茶筒ビルの正式名称は、〈西新宿セントラルラウンドビル〉という。廃ビルとなった今も、その名称を小洒落た感じにエッチングで刻んだ銅板のプレートが、ビルの正面出入口に残っている。鍵を持った若い社員は、ぴしっとしたトレンチコートに黒い鞄《かばん》をさげ、そのプレートの脇に所在なげに立っていた。都築の歩みが遅いので、約束の時間より八分遅れたからだろう。

「ああ、どうもご足労をおかけしまして」

挨拶と名刺交換のあいだ、都築は若い社員を観察していた。歳は二十代後半、身長一八〇センチ弱、体重は八〇キロぐらいだろう。ただ大柄なのではなく筋肉質で、よく鍛えられた身体付きをしている。この体格なら、いざ何かあったときにも頼りになりそうだ。

——どんな〈いざ〉だっていうんだよ。

野呂は都築のことを、町内会の役員だと紹介した。都築もそういう顔をしていた。

「ラブラ・テクノフュージョン営業部の相沢といいます。こちらこそご迷惑おかけしてすみません」

若い社員は、意外にも礼儀正しいもの言いをした。

「僕はまだ入社したばっかりなんで、このビルの詳しい来歴は知らないんです。ただ、ずっとこんな状態なので、町内会の皆さんにお詫《わ》びしてくるようにって、社長に言われてきました」

しゃべり方はまだ子供っぽいが、誠意は感じられる。ラブラ・テクノフュージョンとやらが優良な会社であるといいのだがと、都築は思った。

「いえいえ、すぐ来ていただいて助かりました。じゃ、行きましょうか」

ビルの正面出入口は重厚な板張りの観音扉で、ちょっとしたボートの錨《いかり》に使えそうなほどごつい、金属製の引き手が一対ついている。その引き手に重たそうなチェーン錠がぐるぐる巻きつけてあり、俊子のコンパクトほどの大きさの南京《ナンキン》錠がぶら下がっていた。

相沢は黒い鞄から鍵束を取り出した。じゃらじゃら音がする。

「この南京錠の鍵はあるんですけど、出入口の鍵は内側からでないと開けられないそうなんです。裏手の通用口へ行きましょう」

相沢が先に立ち、ビルとそれをぐるりと囲むコンクリート・ブロックの低い塀のあいだへ入っていこうとするのを、都築は止めた。

「ちょっと待った。会長、この鍵とチェーンの写真を撮ってください」

野呂はデジカメを取り出した。「これを撮るの？」

「ええ。後で証拠になりますからね」

大げさな言い方ではあるが、念のためだ。

都築の目には、チェーン錠にも南京錠にも、いじられたり壊されたりした形跡は見てとれなかった。それどころか、チェーンの輪と輪のあいだに薄く蜘蛛《くも》の巣が張っている。

「この塀に沿って、ぐるりとビルを回れるんですか」

「はい、そのはずです」

「じゃ、ちょっと窮屈だが先に一周してみましょう」

写真を撮った野呂が、デジカメを手にしたまま相沢に笑いかけた。「都築さんはね、以前は刑事さんだったんですよ」

相沢の目が広がった。「へえ、凄い！ 僕、本物の刑事に会うのは初めてです」

「今じゃただの無職のオヤジですよ」

「ぐるりと回って、何を調べるんですか。侵入の形跡？ 梯子《はしご》の跡とか足跡とか？でも、ここの一階の窓は全部はめ殺しだし、二階から上の窓も、みんな鉄格子がはまってますよね」

何だか嬉しそうだ。警察なんか呼ばれちゃ困るという彼の雇い主は、人選を誤ったのではないか。

「まあ、回って見てみるだけです。ところで、こちらが営業していた当時、従業員の人たちは、通用口から出入りするのに、いつも塀とビルのあいだをすり抜けてたんですか？」

この質問には野呂が答えてくれた。「いや、裏手の道から通用口に通じる通路があってね、そっちを使ってたんだけど」

今はバリケードで塞《ふさ》いであるのだという。

「小火騒ぎを起こした連中が入り込んだのが、通用口の方からだったもんでね」

「ああ、そういうことですか」

コンクリート・ブロックの塀とビルの壁面との間隔は幅三〇センチほどで、落ち葉やゴミが溜《た》まっていた。一階部分にいくつか設けられている換気扇用の大小の通気口のスリットにも、埃《ほこり》と蜘蛛の巣がくっついている。

通用口へ通じる通路は裏道から一メートルほど引き込まれていて、コンクリート・ブロックの塀もそこで切れている。両端に土の植え込み部分がつくってあり、かつては植栽があったのだろうが、今は雑草がしょぼしょぼと生えているだけだ。

野呂の言うバリケードは、合金製の成型椅子《いす》を積み重ね、丈夫な荷《に》紐《ひも》でぐるぐる巻きにしたものだった。椅子が組体操でもしているみたいに組み合わせてあるので、あちこち出っ張ったり引っ込んだりしているし、全体の重量もかなりある。

「この椅子は、従業員用の控え室にあったもんですよ。奇抜なデザインなんで、引き取り手がなかったんでしょうね。ずっと置きっぱなしになってて」

「これ、凄いですねえ」

相沢青年が感心したような声を出し、ひっくり返って天に脚を向けているのを摑《つか》んで揺さぶってみた。

「動かないや。上手《うま》く縛ってありますね」

「これをこしらえたの、うちの近所の運送屋さんなんですよ」と、野呂がちょっと自慢げに言った。「パトロールのたびに、こいつも点検して縛り直してるからね。頑丈です」

通用口は、小火騒ぎの折にドアごとそっくり取り替えたのだという。

「バールでこじ開けられちゃったんですよ。火を出した連中がやったのか、別の連中の仕業なのかわかんないけどね。あの小火がなかったら、私らも気づかなかった」

バールを使ってドアをこじ開ける荒っぽいやり方は、外国人窃盗団によくある手口だ。おそらく、内部に金目のものが残されていないかと、その手のプロが忍び込んだのだろう。彼らにとっての金目のものは、家電製品や備品の類《たぐ》いではない。電線や被覆コードでも充分なのだ。中でバカ騒ぎをした若者たちは、ドアが壊れているのを見つけて便乗しただけだろう。

鍵束をじゃらじゃら鳴らして、相沢青年が通用口を開けた。続いて、黒い鞄から大きな懐中電灯を取り出した。

「一応、持ってきたんです」

「あんた用意がいい人ですね。助かりましたよ」

西新宿セントラルラウンドビルの一階部分は、ちょっとぽかんとするほど広々しており、がらんとしていた。パーティションさえ残っていないので、通用口の内側に立つだけで、外形と同じ円形のフロアをほぼ一望することができる。小火と消火活動の痕跡《こんせき》も、ほとんど見えなかった。騒動の後、誰かが片付けたのか、片付けさせたのだろう。

「意外ときれいなもんですね」

外は晴れているが、窓が小さいので、相沢青年の懐中電灯が役に立った。

「ここはギャラリーだったそうですよ。前のオーナーが、ポップアートを買い漁《あさ》ってたんだって聞きました」

外側はゴシック調なのに、内部には現代アートを飾っていたわけだ。

建物の内径に沿って弧を描いた階段が、北側に見える。そちらへ歩き出そうとした相沢青年を、都築はまた止めた。

「すみませんが、靴の上からこれをかぶせてください」

ポケットに突っ込んできた品を取り出す。俊子がきれいにたたんでとっておいたスーパーの薄いビニール袋と、セロハンテープの小さな輪っかだ。

「足首のところでテープを留めるんです。こいつを履くと滑るから、足元に気をつけてくださいよ」

相沢青年はまた興奮した。「何かCSIみたいだなあ」

都築が怪訝《けげん》な顔をすると、野呂が教えてくれた。「アメリカさんの警察の鑑識のことですよ。うちの孫どもがよくテレビでドラマを観《み》てます」

三人でビニール袋を装着した。野呂と相沢青年の支度を、都築が手伝った。都築は杖の先にもビニール袋を付けてみたが、ひどく滑って危なそうだったので、外してしまった。

「これ履いてても、あんまりずかずか歩かない方がいいですよね」

「そこまで神経質にならんでもかまいません」

野呂が一階フロアの写真を撮り、三人で階段へ向かった。何となく都築が先頭になり、相沢青年が後ろにつく。

「小火があったのは一年前ですよね」

野呂が答えた。「去年の十一月の中頃だったかなあ」

そのとき消防隊が踏み込んでから、一年と一ヵ月近くが経過していることになる。閉め切っておいても、人の住まない建物の内部には自然と埃が溜まるものだ。しゃがんで手を触れてみると、階段のステップにはざらりとした感触がした。

足跡らしきものはない。埃が乱れた様子もない。

二階にはバーカウンターの造作《ぞうさく》が残っていた。丸テーブルも二つ残置されている。窓から日差しが差し込むので、相沢青年が懐中電灯を消した。野呂が几帳面《きちょうめん》に写真を撮る。

「都築さん、足は平気かね」

「ええ、ご心配なく」

勾配《こうばい》の緩い階段なので、助かった。

「ここも異状なしですね」

年長の二人を気遣ったのか、三階にのぼるときには相沢青年が先頭になった。階段の端を、ぎりぎり壁にくっつくようにしてのぼっていく。二階から三階へのステップにも、足跡や人が通った形跡は見えなかった。

三階はパーティションで一部が仕切られていた。居室として使用されていたのだろう。ドアが開けっぱなしになっていた。

ほっぺたを掻きながら、相沢青年が言う。「えっとぉ、ここにはベッドルームがあったそうです」

ドアから首を突っ込んで覗《のぞ》き込んでみると、豪華な設備の洗面化粧台が残っている。便器は取り外されていた。

都築は訊《き》いた。「ここ、テナントが入った時期もあったんですよね？」

都築以上に階段がきついのか、野呂は軽く息を切らしている。

「一階と、二階だけね。そのときの内装は、テナントが出るとき、みんな撤去していきましたよ。だからトイレなんかも何にも残ってないんだよね」

「あのぉ……」

まだほっぺたを掻きつつ、相沢青年がもじもじと言い出した。「町内会の皆さんは知らないですか。この階で、人が死んだことがあるそうなんですけど」

町内会の皆さんである二人の年長者は、揃《そろ》って「え？」と問い返した。

相沢青年は慌《あわ》ててしまった。「最近のことじゃないんです。前のオーナーがここを建てて、半年後ぐらいのことだったそうですよ」

このビルの華やかなりし頃の出来事は、逆に地元の住民の耳には入らない。野呂が知らなくても不思議はなかった。

「誰が死んだんだね」

「事件だったんですか」

　相沢青年は首を縮めた。「若い女の子で、パーティで飲み過ぎて伸びちゃったんだとか。それで三階で休ませてたんだけど、様子を見に来たら死んでいたそうです」

　急性アルコール中毒かもしれない。あるいは、そこにドラッグの類いが加わっていたという可能性もある。なにしろこんなところで開かれていたパーティだ。

「よく騒ぎにならなかったねえ」

　野呂は手近の壁にもたれている。都築もそれに倣《なら》ってひと休みした。

「まあ、その、誰かが何かしたから死んだってわけじゃなかったみたいですから」

　相沢青年はそわそわしている。野呂が冷やかすように笑った。

「相沢さん、不動産会社に勤めてるっていうのに、人が死んだ建物が怖いのかい？」

　相沢青年はぶんぶんかぶりを振った。「そんなんじゃないです。それに、うちは不動産会社じゃありません。タレントのマネージメントをしてるんです」

　これには都築も驚いた。ラブラ・テクノフュージョンとやらが不動産会社だというのは野呂の思い込みだが、都築もそれに近い印象を持っていたからだ。

「前のオーナーの別れた奥さんは、モデルだったんですよ。一時は人気者で、テレビにもよく出てました」

　ああ、そういう線で繋《つな》がっているのか。

「どっちにしろ相沢さんは、人が死んだ建物が怖いんだ」と、野呂もしつこい。

「やっぱ、気味悪いっスよ」青年は照れながら、無人の室内をそわりと見回す。「死んだ女の子って、どうも前のオーナーと愛人関係にあったらしいんですよ。どろどろだったんだぞって、先輩が言ってました」

「しょせん、噂でしょう」

「まあそうですけど。彼女はオーナーと奥さんを恨んでるだろうから……」

「出るぞって、先輩に脅されたんだね」と、野呂は笑う。手にしたデジカメを軽く振ってみせて、「こいつに変なものが写ってたらどうしようか」

相沢青年は首を縮めた。「わあ、勘弁してくださいよ。だって、出たって不思議はないですよね、幽霊。このビル、三階にテナントが入らなかったのも、そのせいじゃないんですか」

都築は笑った。「単に使い勝手が悪かっただけでしょう。ここは験《げん》も悪いしね」

「刑事さんは、験は担いでも幽霊は信じないんですか」

「私はむしろ、このビルのオーナーに繋がっていた悪縁の方が怖いよ。件《くだん》の青年社長には、裏社会の紐がくっついてたと思うから」

「それ、刑事さんの勘ですか」

「一般人の常識に照らしてそう思うんですよ。ああいうにわか長者には、悪い人間がうようよ寄ってくるもんだ。その結果、ここはいまだにこんな状態なんでしょう」

休憩を終えて、三人は四階にのぼった。三階から四階への階段のステップも埃で覆《おお》われている。

「誰かがここに入り込んだとしても、少なくとも階段は使ってないようですな」

都築はいっぺんに長時間歩くことはできないが、休み休み歩くことはできる。脊柱管狭窄症の特徴で、ちょっと休めば痛みも痺《しび》れも収まるのだ。むしろ野呂の方が辛そうだった。はあはあいっているし、足が重そうだ。

「失礼ですけど、引っ張りましょうか」

相沢青年が差し出した手に、野呂は素直につかまった。

「ああ、ありがとう」

四階の半分はがらんどうで、残りの半分、仕切り壁の向こうは機械室になっていた。エレベーターの機械や給水ポンプ、電源系の設備などが集まっている。

「変わってるねえ。ここでいちばん眺めのいい部屋なのに」

野呂が呆《あき》れたように言う。

「最初は、機械室は地下に作る予定だったらしいです。でも許可がおりなかったそうで」

「住み着くための建物じゃないから、こだわりがなかったのかもしれませんよ。眺めがいいったって、四階じゃたかが知れてるし」

オーナーにとっては、むしろ建物を密封し、内に籠《こ》もって、部屋のなかでやることの方が肝心だったのだろう。眺望を求めるのならば、新宿にはいくらだって超高層ビルがある。にわか長者は、どこでもよりどりみどりで住むことができたはずだ。

屋上にのぼる階段はなかった。天井に上《あ》げ蓋式《ぶたしき》のハッチがついていて、備え付けの器具で引っ張ると、梯子が降りてくる。

「塔屋がないんですね」

そっちには、施主《せしゅ》のこだわりがあったのだろう。このビルが、あくまでも塔に見えるように造りたかったのだ。

「そうすると、あの怪物の像もここから持ち上げたのかねえ」

野呂は腰に手をあて、不安そうに梯子を見上げている。

「野呂さん、ここにいてください。私と相沢さんでのぼってくるから」

「え？　都築さん、大丈夫ですか」

「よく気をつけますよ。すみませんが、デジカメだけちょっと拝借します」

上げ蓋を上げ、相沢青年が先にのぼった。上に着くと、都築の手を引っ張って助けてくれた。

屋上に出ると、日差しが眩《まぶ》しいほどだった。

「うわぁ」

眩しさのせいではなく、四階の上の屋上とは言え、遮るもののない三六〇度の景色に驚いたのでもなく、相沢青年が声をあげた。

「あれ、何ですか」

都築もちょっと固まったようになった。

屋上の一角、あの怪物――ガーゴイルがうずくまっている周りに、何かの破片がごろごろ転がっているのだ。近づいて検分すると、尖《とが》った耳が見つかった。鉤爪《かぎづめ》の生えた手もあった。翼の端っこもあった。大きいのは胴体部分だろう。

都築はひとつ深呼吸をした。

このビルの落成時に据え付けられ、以来、地元住民たちに眉《まゆ》をひそめられたり、少しは面白がられたりしながら地上を睥睨《へいげい》していたガーゴイルは、粉々に壊されている。

だが、それがあった場所に、今は別のガーゴイル像が鎮座している。右肩から斜め上に、モップの柄のような棒を突き出して。

ガーゴイルの像は、取り替えられたのだ。千草タエの証言を容《い》れるなら、一週間ほど前の大嵐《おおあらし》の夜に。

「これ、金属じゃないや。石でもないですね。樹脂みたいだ」

しゃがんで破片をいじっていた相沢青年が、がっかりしたように言った。「安っぽいや」

彼は事情がわかっていない。

「これ、もとは一対になってたんですね？　片っぽだけ壊されちゃったんだな」

都築は慎重に新しいガーゴイル像に近づき、観察した。一見、色も形も前のものと同じだ。もっとも、前のガーゴイル像は間近で見たことがないから細部はわからないが、とにかく似ていることは似ている。

「違うよ。もともと一体しかなかった。だから、今のは別のものと取り替えられてるんだ」

相沢青年は「へ？」と言った。破片を放り出し、近づいてくる。

像の反対側に回り込んで、都築ははっとした。

新しいガーゴイル像が手に持ち、右肩から突き出しているのは、ただの棒ではなかった。やっぱり柄だ。だがモップでもなかった。先端に大きな半円の刃がついており、怪物はその刃を身体《からだ》の陰に隠すようにしてしゃがみこんでいるのだった。

　これは、大鎌《おおがま》だ。

　新しいガーゴイル像は武器を持っている。

　材質は何だろう。ガーゴイルから大鎌の部分まですべて均一で、同じ色をしている。だから無論のこと大鎌も装飾品で、本物の武器ではないのだが――

　ガーゴイルの右肩に掌《てのひら》を置いてみて、都築はまたたじろいだ。

　温かい。

　冬の陽とはいえ、正午に近い時刻だから、頭上から照らしている。だから像も温まっているのだろう。理屈ではそう思う。が、触れた瞬間の感触にはそれ以上のものがあった。

　あたかも、血が通っているかのような。

「こっちのは、何でできてるんでしょうね」

　相沢青年がガーゴイルの頭のてっぺんをぺんぺんと手で打った。鈍い音がした。

「金属かなぁ。こっちは樹脂じゃない感じがしますね」

「かなり重そうだね」都築は破片の方に顎《あご》をしゃくってみせた。「あれとは材質が違う」

「そうッスね」相沢青年はまたぺんぺんとやる。「あったかいなあ。ここ、日当たりがいいからですかね」

まわりを見回して、目を細めた。

「何にしろ、旧いのを壊したんなら、ちゃんと片付けてけっての。掃除しましょうか」

「いや、こいつらが下に落ちる心配はなさそうだから、このままにしておきましょう」

それが可能なら、現場は保存しておくに限る。野呂のデジタルカメラで、都築は何枚も写真を撮った。ガーゴイルが大鎌の柄を握っている部分は接写した。こうして見る限り、怪物の指と、それが握っている大鎌の柄の部分は溶接されているかのようで、継ぎ目は見当たらない。これなら、大鎌だけが落下してくることはなさそうだ。

不可解なのは像の本体の方だった。台座がないし、ボルトなども一切見当たらない。しかしどっしりと据わっている。試しに、相沢青年と二人がかりで押してみたが、びくともしなかった。いったい、どうやって据え付けたものなのか。

「相沢さん、降りましょう。エレベーターを見てみたい」

慎重に梯子を下り、待ち受けていた野呂と合流した。

「どうでした？」

「どうもこうも、やっぱり変ですよ」

目《め》顔《がお》で（後で話します）と報《しら》せて、三人は階段を降りた。

エレベーターは一階の階段の裏手にある。通電していないから、両開きの扉を手で開けなければならない。

「僕に任せてください。幽霊は苦手だけど、力仕事なら自信があります」

相沢青年はうんうんうなりながら扉をこじ開けにかかった。メタリックな質感の扉に、彼の掌と指の痕《あと》がべたべた残る。扉にも埃がついているのだ。三〇センチほどの隙間《すきま》が開くと、そこから先は都築と野呂も手伝った。

三人がかりの努力の甲斐《かい》があり、扉はすっかり開いた。ぽっかりと暗い空間が現れた。箱はどこか上の階で停まったままなのだ。

青年から預かった懐中電灯をつけ、扉の端につかまって、都築は頭上を照らしてみた。

「気をつけて、気をつけて」と、野呂が声をかける。

都築は唖然《あぜん》とした。

箱がない。

エレベーターの箱は撤去されていた。四階まで通じる四角い空間には何もない。ただケーブルが下がっているだけだ。

「えええええ〜」

一緒に覗き込み、仰いでみて、相沢青年が頓狂《とんきょう》な声をあげた。

「あのガーゴイル、どうやって屋上まで運んだんでしょうね？」

わからない。都築にはそれしか答えの持ち合わせがなかった。思い出したように足が痺れてきた。

相沢青年とはお茶筒ビルの前で別れ、都築は一緒に野呂の煙草《たばこ》屋に行って、コーヒーをご馳走《ちそう》になりながら屋上の様子を説明した。野呂はデジカメの映像もじっくり確認した。

「わけわかんないね」

呆れつつも、興味を引かれているらしい。あたしもこの目で見てみたかったなあ。

「これ、何かの仕込みじゃないのかね。テレビでやってるバラエティ番組の、ほら、何だ、〈珍百景〉とかいう」

それなら、最低限ラブラ・テクノフュージョンの方には断ってからやるだろう。無断でやったのだとしても、エレベーターも階段も使わず、屋上まで運んだ方法が見当もつかないことは同じだ。ビルの外から重機を使って持ち上げたのなら、今まで近所の誰も気づかないわけがない。

「とりあえず、どうしたらいいと思う？」

「静観するしかないでしょう。会長のおっしゃるような仕込みの類いだったなら、そのうち撮影とかで人が来るでしょうから」

「そうなるか。今んとこ、被害があるわけじゃないもんなあ」

「千草さんには事情を話して、心配しないように言ってあげてください」

「そうだねえ。怪物が別物になってましたってだけの話だ。あいつが持ってる棒も落っこちてきやしねえよって。あの人、怖いからあのビルのそばは通らないって、買い物に行くにも遠回りしてたんだ」

　でもさぁ――と、野呂は考え込むような目つきになった。

「あの怪物がときどき動いてるっていうのは、どうなんだろうね。千草さん、絶対間違いないって言い張るんだよ」

　都築はすぐ言った。「人間の目は、よく見間違いをするもんなんですよ。本人には確信があっても、間違いだってことがある。私は経験でよく知ってます」

「そうか。千草さんにそう言ってやるよ」

野呂の笑顔に、都築も笑って別れた。だが、一人になって杖《つえ》をついて歩く帰り道には、笑う気分にはなれなかった。

あの像はときどき動き、位置や姿勢を変えるという。

――それに温かかった。

体温があるように、都築は感じた。

バカバカしい。千草タエの目撃証言は目の錯覚だし、都築のは気の迷いだ。

だが、この際、もっとバカバカしいことを考えてみよう。もしもあれが自分で動けるのならば、どうやって屋上まで運ばれたのかという謎《なぞ》は簡単に解ける。自分でのぼったのだ。翼を広げて舞い上がればいい。

都築は歩きながら、杖を持っていない方の手で自分の額を打った。

帰宅すると、俊子が先に戻っていた。

「野呂さん、何の用事だったんですか？」

「うん、ちょっと」

生返事をしておいて、都築はパソコンに向かった。日常的にパソコンを使うようになったのは、退官してからだ。まだ上手く使いこなせない。特に検索は苦手だ。適切なキーワードを選ぶのが難しい。

　それでも、世界各地の有名な建築物のなかに存在するガーゴイル像の映像は、いろいろ呼び出して見ることができた。お茶筒ビルの屋上のあいつは、ガーゴイル像としては特に珍しいデザインではなく、造形が凝っているわけでもない。

　手こずったのは例の大鎌の方だ。様々なキーワードを試してみて、ファンタジー映画や小説に登場する武器や道具についてイラスト付きで解説されているページを見つけ出した。そのなかに、あの怪物が手にしていたのとよく似たものがあった。

　サイズ、という。綴《つづ》りは〈scythe〉だ。

〈長い柄のついた大鎌。武器としてより、農具としての歴史の方が長い〉

　十六世紀後半から、西欧の農夫たちが草刈りに使っていた道具だというのだ。そのまま農民兵士たちの武器になった。それ故《ゆえ》に、歴史上、これを正規に採用した軍隊は存在しない。常に非正規軍の武器だった。

　末尾にもう一行、記述があった。都築の目はそこに引きつけられた。

〈西欧の物語に登場する死神は、骸骨《がいこつ》姿で、きまってこの大鎌を手にしている〉

　あれは死神の得物《えもの》なのである。

5

丸三日間、孝太郎はBB島のヘルプに入り、広域掲示板を舐《な》める作業を行った。四日目は大学の授業が詰まっていてバイトは休み、五日目の午後に出勤してみたら、ドラッグ島の通常勤務に戻るよう、真岐から指示があった。

「捜査に進展がないから、ネットの方も一段落って感じだからね」

これという収穫もないままだった。ネット以外のメディアも、続報が止まっている。

「また動きがあったら手伝わせてください」

「うん」

気軽にうなずいてから、真岐は少し心配そうな顔をした。「それはいいんだけど、コウダッシュ、あんまり入れ込み過ぎないようにしろよ」

「オレ、そんなに熱くなってるように見えますか？」

「というより、顔が暗いからさ。事件の情報に中毒《あた》っちゃってるんじゃないか？」

確かに毒が回っているのかもしれない。だが、その原因《もと》は〈指フェチキラー〉ではない。園井美香を中傷している学校裏サイトの方だ。

学校島の森永からレクチャーを受けた翌日、孝太郎は思いきって、自分のノートパソコンにクマーのクローリング・ソフトをインストールする申請を出した。真岐は特に理由を詮索《せんさく》することもなく、このソフトを外部に持ち出す際の注意事項についてひとくさり説明して、あっさり許可をくれた。真岐は、孝太郎が個人的な時間も〈指フェチキラー〉情報の追跡に費やそうとしているのだと思ったのだろう。

孝太郎の意図は別にあった。森永の忠告はちゃんと聞いた上で、美香の一件をもっとよく調べようと思ったのだ。

学校裏サイト上で行われている美香への攻撃は、夏休みから始まっていた。その萌《ほう》芽《が》は、携帯電話でアクセスできる交流サイトの自己紹介、いわゆる〈プロフ〉上では〈きらきらキティ〉と名乗っている女子が書き込んだものだった。

〈ガク先輩が練習にきてくれて嬉《うれ》しいんだけど　ミカばっかりひいきするからムカつく〉

どうやらこの〈ガク先輩〉が、三年生の男子生徒で、女子に人気の軟式テニス部のスター選手であるらしい。「きてくれて」というのは、三年生だから既に部活動からは引退しているのに、夏休み中に一、二年生たちにコーチしに出てきたということだろう。

夏休みのあいだじゅう、〈きらきらキティ〉は散発的に、このことでグチっている。

〈ウチはずっとガク先輩一途《いちず》なのに〉

〈ミカはぶりっこだから〉

　美香たちの通う生野市立あおば中学校の軟式テニス部には、部の交流サイトがある。そちらには、〈きらきらキティ〉はこんな書き込みをしていない。他の部員たちもそうだが、至って健康的で清潔で、いささかきれい事にすぎるような書き込みが並んでいる。〈秋の都大会ベスト4を目指して頑張ろう〉〈今日の練習ではみんな集中しててよかった！〉〈最近　うちらのペアは息がぴったし　東都付属との交流戦　何かゾーンに入ったみたいだった〉

　つまり〈きらきらキティ〉も、嫉妬《しっと》まじりのグチは学校外で発散することにして、現実の人間関係のなかには持ち込んでいないのだ。軟式テニス部員たちが、〈きらきらキティ〉が書き込んでいる交流サイトの方でリアクションしてくることもない。まだ、その存在を知らされていなかったのかもしれない。〈きらきらキティ〉がこのプロフの存在をわざと隠していた可能性もある。

　書き込みによると、ガク先輩は軟式テニス部の夏合宿にも参加したようだ。そこでもまたミカを熱心にコーチして、

〈ミカ　チョーうざい　ムカついて吐きそう〉

〈きらきらキティ〉は憤懣《ふんまん》を述べている。ただ、あくまでも彼女個人の憤懣だ。この状態は二学期になっても続いている。

　その様相ががらりと変わるのが、十月の末である。〈きらきらキティ〉の交流サイトの方に、軟式テニス部の部員たち（ほとんどが女子だ）がしきりと参加し、全員で美香への批判的なコメントを書き始める。ミカは生意気だとか、調子こいてるとか。それは軟式テニス部の交流サイトの方にも飛び火して、

〈最近　部の規律を乱しているヒトがいます　よく反省してほしいと思います〉

〈テニスが好きなのではなく　ほかの目的があって部活している部員は　よくない〉

　この時点で何があったのか。書き込みを読んでいるだけでは判然としない。交流サイトの方に、〈ガク先輩が悪いわけじゃない〉というコメントがあったから、彼がからんでいるのだろうが、ここでやりとりしている女子たちには周知の事実だから、誰もわざわざ書いてくれないし、何か紛争が起きたときには、ある時点で「まとめサイト」を作って事実関係を整理しておくものだ――というネット上の常識を知らない、そこまでネットに習熟していない女の子たちの集まりなので、ただ群れてぎゃあぎゃあ言い合っているだけなのである。

彼女たちが園井美香を、〈ミカリン〉と呼び始めたのもこの時点だ。字面《じづら》だけならただの通称に見えるが、語源は「リンリン音がしそうなほど媚《こ》びを売っている」ということだから嫌らしい。孝太郎の知っている美香は、どんな場所でもおよそ人に媚びるなんて考えられないし、そんなことはむしろ苦手な女の子なのに。

それでもさすがに部の交流サイトでは、顧問の教師か一部の先輩に注意されたのだろう。不満があるなら本人と話し合いなさい、陰口はよくないし、そのためにサイトを使うなどいちばんやってはいけないことだ、と。

それは一般的には正しい忠告だ。だが、この場合は火に油を注いだだけだった。以来、美香への攻撃は〈きらきらキティ〉のプロフに場を移し、激しさを増していった。彼女に負けじと自分のプロフで美香を中傷する他の女子も複数現れた。孝太郎がコーヒーショップで森永と共に最初に目撃したのは、これらの書き込みだったわけだ。

何でまた美香はこんなことに巻き込まれたのか。〈ガク先輩〉は何者で、美香とどんな関係なのか。

もどかしい疑念をほどくには、もう一美に訊いてみるしかない。だが、兄妹《きょうだい》でひとつ屋根の下に暮らしているというのに、こちらもこちらで手間取った。

まず一美は、森永と話す前に孝太郎が送ったメール――〈近ごろミカに何か相談されてないか?〉を、完全に無視した。まったく知らん顔だった。

それはそれでひとつの回答であり、孝太郎には不穏な手がかりになった。一美はこの件で、オレに訊かれたくないことがある。隠したいことがあるのだ。

同居している家族だといっても、大学一年の兄と中学二年の妹である。とりわけ妹の方は実にナイーブになる年頃だ。オトコどもとは一緒くたに洗濯機で衣類を洗わないのはもちろん、トイレも洗面所も別の場所を使う。風呂《ふろ》は一美が一番に入る。父の孝之や孝太郎がうっかり先に入ってしまうと大変だ。おまえ、オレらがそんなに汚い生きものだと思ってるのか？ と詰問《きつもん》したくなるくらい入念に洗い場を流し、湯船の湯に何かフケツなものが浮いていないかチェックしてからでないと、一美は入浴しない。そういう点ではちょっとだらしない孝之が、リビングにシャツや靴下を脱ぎっぱなしにしておいたりすると、一美は細菌兵器を見つけたみたいに騒ぐ。孝之が、これまたうっかり一美のグラスを使ってしまったりすると、もう一美はそれに手も触れない。

一美が父や兄を嫌っているわけではない。ただ、女の子は誰でもそういう時期を通るのだと、母・麻子は説明する。それでまあ孝太郎は納得というか妥協し（ちなみに孝之はまったく懲《こ》りないし学習しない）、いつもは一美の敏感なセンサーに触れないように生活しているのだが、話し合いたいことがあるとなると、極めて不便だ。

結局、つかまえるまで四日かかった。バイトがなくて授業漬けだった一日を終え、午後六時過ぎ、孝太郎が帰宅すると、外はもう日暮れて暗いというのに、一美が玄関先でスニーカーを履いていた。

「出かけンのか？」

「ちょっとコンビニ」

「じゃ、一緒に行く」

一美は露骨に嫌そうな顔をした。「ついでに買ってきてあげるよ」

「いや、自分で行かないと用が足りない」

口をへの字にする一美に、強引にくっついて外へ出た。歩き出すとすぐに、孝太郎は口を開いた。

「おまえ、オレのメールをシカトしてるな」

一美はお気に入りのチェックのマフラーの先を跳ね上げて、どんどん歩く。

「メール送ったんだよ。見たろ？」

「知らないよ」

「嘘《うそ》つけ。一日に何度ケータイいじってるんだよ」

一美が急に立ち止まったので、すぐ後ろにいた孝太郎はぶつかりそうになった。

「その話はしたくない」

一美は孝太郎を睨《にら》みつけている。

「おお、そうかい。でもオレは聞きたいんだ。オレだけじゃねえ。ハナコおばちゃんも心配してるんだよ」

おしゃべりで賑《にぎ》やかだし歳《とし》の割に派手好きだし、いろいろ困ったところのあるヒトだけど、ずっと可愛《かわい》がってもらってきた。お互い、ハナコおばちゃんには弱い。

「お兄ちゃん、ずるいよ」

一美は肩を落とし、そこからゆっくり歩きながら、ぽつぽつと語り始めた。

「ミカのことでしょ？　知ってるよ」

〈きらきらキティ〉たちの軍勢は、〈三島さんにバレると面倒だ〉と書いていた。が、一美は知っているという。

「ミカに、みんなに心配かけたくないから内緒にしといてって頼まれたんだ」

こういうケースで、実によくあるパターンである。

「何もかもガク先輩が悪いんだ」

一美の口調には鋭い棘《とげ》があった。

「ガク先輩があんな大人げないことするからだよ」

中学生のいう「大人げないこと」である。

「どんな奴《やつ》なんだ？　名前は？」

「下川岳《しもかわがく》。三年生。部活の先輩」

「人気者みたいだな」

「女子にモテてるよ。見かけがいいし、スポーツ万能で成績もいいから」

一美は彼が好みではないのか、この件で嫌いになったのか、判定は微妙だ。

「おまえも、オレが今どんなバイトしてるか知ってるだろ。だからさ、おまえほどじゃないけど、オレも事情を知ってるんだ」

孝太郎はこれまでの経緯を説明した。目的のコンビニを通り過ぎてしまったが、兄妹は足を止めなかった。

「貴子ママ、学校に呼ばれたんだ」

一美は素直に驚いた顔をした。

「知らなかったのか？」

「うん、聞いてない」

「ミカは、おまえにも心配かけたくないんだろうな」

「でも、先生や貴子ママが知ってるなら、何とかなるよね？」

「オレもそう期待してる」

歩きながら、孝太郎はコートのポケットに両手を突っ込んだ。

「十月の末ごろ、何があったんだ？」

一美はため息をついた。「何日だったかなあ。最後の日曜日。部活の後でね、ガク先輩がミカにコクったんだよ」

お兄ちゃん、意味わかるよねと突っ込まれた。

「わかるよ。好きですって言ったんだろ。カノジョになってくれって」

「そういうこと。僕はこれから受験だから、その前にきちんとコクって気持ちの整理をつけておきたいって」

純情な中三のやりそうなこと――かな。

「それまでにもね、ガク先輩の態度で、ミカのこと好きなのは見え見えだったんだ」

「ああ、ネットでも書かれてたな。えこひいきしてるって」

「そんな目で見られて、ミカはホント可哀相《かわいそう》だったんだよ。迷惑してたんだ」

「ミカはその気がねえのか？」

「あの子、まだ子供だもん」

おまえと一歳しか違わないんだぞ。

「じゃ、コクられてもミカは断ったんだな？」

一美は黙った。またマフラーの先をうるさそうに跳ね上げる。

「断ったんじゃねえのか」

「あんなやり方されたら、ミカはどうしようもないじゃん」

「あんなやり方って？」

一美は、まるで孝太郎に怒っているかのように、目を尖らせて言った。「こっそりコクったんじゃないんだもん。部員全員の前で宣言したの。僕は園井さんが好きですって。今まで、その気持ちのせいで部のみんなの誤解を生んでしまってすみませんでしたって」

あんまり驚いたので、孝太郎は、間近に迫っていた電柱に衝突しかけた。

「バカだなあ！」

「そうだよ、大馬《おおば》鹿《か》だよ。ミカの気持ちも、ミカの立場も何にも考えてないもん」

コクって自分はすっきりした。相手が困っているなんて夢にも思わない。相手も自分を好きだと思い込んでいるから、これで全部丸く収まると思っている。

「僕はこれからは部活に参加しません、みんな頑張ってくださいって、それっきり」

ミカは軟式テニス部のなかに置き去りだ。そして周囲からの総攻撃が始まった。

「ミカは、個人的にはどう対処したの？」

「個人的にって」

「付き合う気があるのかないのか」

「ないに決まってるじゃん」

「じゃ、ガク先輩にそう言ったのか？」

「メールは打ったって言ってたけど、先輩の方は信じてないんじゃない？　恥ずかしがってるんだぐらいに思ってるんでしょ。そういうヒトだから」

　何でも思い通りになってきたヒトだから、という。

「それに先輩、勝手なんだよ。デートとかそういう具体的な付き合いをするのは、僕の高校受験が終わってからにしようねって言ってるんだって。だから先輩の方は、学校のなかでも何も変わったことなんかないわけ」

　確かに勝手だ。威張り散らすわけではないから判別しにくいが、これも一種の〈オレ様〉タイプだろう。オレ様王子だ。

　孝太郎は足取りを緩め、妹を振り返った。

「おまえ、〈きらきらキティ〉が誰だか見当つくか？」

一美は既にふくれっ面になっている。そこに一瞬、無表情を上書きしようとした。逆にバレバレだ。

「つくんだな」

一美は口元をへの字に結んだ。

「ってことは、美香にも見当がついてる。あいつを攻撃してる主犯が誰なのかわかってる。違うか?」

それにしても見事な〈への字〉だ。これじゃ返答は期待できまい。

「オレに教えろとは言わないよ。けどオレ、貴子おばさんに、いっぺんクマーに相談してみてくださいって言おうと思ってるんだ。こういうトラブル解決のプロだからさ」

思わずというように一美はきょとんとし、それからようやく、〈クマー〉が兄のバイト先の社名だと思い出したらしい。

「何度聞いてもヘンテコな社名だよね」

「うるせえ。ちゃんと意味がある名称なんだ」

クマーに相談するよう勧めることが森永の提案であることは、黙っていた。別に自分の手柄にしようというわけではない。こんな話を赤の他人に知られてると思ったら、園井母娘《おやこ》は嫌だろう。本来、孝太郎に知られるのだって嫌なはずだ。

「オレだって貴子おばさんにどう切り出していいかわかんねえ。今現在、学校がおばさんにこの事態をどう説明してるのかもわかんねえしな。けど、知っちゃった以上は知らん顔できない」

一美は黙っている。

「オレが貴子おばさんと話した後、おばさんから何か訊かれたら、オレには言いたくないことでも、おばさんにはちゃんと話せよ。それだけ、おまえに頼んどく」

「わかった」短く応じて、一美は立ち止まり、孝太郎の顔を見た。「でもお兄ちゃん、貴子ママと直《じか》に話してよね」

「え？」

「うちのお母さんをあいだに挟んだりしたら駄目だよ」

そんな段取りは考えてもいなかった。

「もちろん直に話すさ。何でそんなこと言うんだよ」

「貴子ママはうちのお母さんと仲良いけど」

一美は言って、喉《のど》につっかかるものを吐き出そうとするみたいに顔をしかめた。

「うちのお母さんに対して、ちょっと突っ張ってるところがあるんだ」

オトコにはわかんないだろうけどさ——と言い捨てて、さっさと歩き出す。置いてきぼりをくらって、孝太郎は慌てて追いついた。

「おい、それどういう意味だよ」

「意味わかんなくていいよ」

「よくねえ」

早足のまま一美がため息をつくと、白い呼気が後ろに流れた。

「うちのお母さんは普通の家庭の主婦だけど、貴子ママはバツイチのシングルマザーでしょ。仲良くしてても、もやもやはあるんだよ」

「もやもや？」

曖昧《あいまい》に問い返すと、一美は焦《じ》れたように声を高めた。「貴子ママは、うちのお母さんに弱いとこ見せたくないんだよ。シングルマザーだからって、何か足らないとか思われたくないんだよ。あたしはその気持ち、わかる。だからこのこと、うちのお母さんには内緒にしといてあげてほしいの。わかった？」

孝太郎は心底驚いた。

——まだ中二なのに。

女って、こんな微妙なことにまで気を使うもんなのか。

「――わかった」

素直に応じて、孝太郎は一美と肩を並べて歩いた。結局、近所を一回りして家に帰るだけになった。

家の灯が見えたところで、孝太郎は言った。

「おまえはおふくろに心配かけるなよ」

一美は吐き出すように答えた。「余計な台詞《せりふ》だ、バカ兄貴」

その翌日、孝太郎が大学の学食にいると、携帯電話に着信があった。園井貴子からだ。急いで外へ出て、建物の陰の人気の少ないところに移った。

「急にごめんなさいね。一美ちゃんからこの番号を教えてもらったの」

貴子の口調はいつものようにてきぱきしていて、声だけ聞く分には、悩みや心配の影は感じられない。

「昨夜、一美ちゃんがメールをくれて……。美香のことで、コウちゃんにもいろいろご心配をおかけしてるみたいね」

何てことはない。孝太郎が貴子おばさんに話を切り出す前に、一美がお膳立《ぜんだ》てしてくれたのである。

「いえ、その、すみません。余計なことをしました」

「とんでもない。ありがとう」

前置きを抜きに、貴子は現状を説明してくれた。美香が学校裏サイトで攻撃されていることを知ったのは、一週間ほど前、担任の先生から電話をもらったからだ。美香本人からは何も聞かされていなかった。

「それで、すぐ時間を作って先生に会いに行ったのよ。美香がちょっと元気ないなあと思った時期もあったし」

「そうでしたか」

「担任の先生は――副島《そえじま》先生っていうんだけどね、わたしと同世代の男の先生で、ネットにもそんなに詳しくないし、女子生徒同士の揉《も》め事には勘が鈍いんだって、自分から言って謝ってらした。裏サイトのことを知ったのも、クラスのほかの女の子が教えてくれたからだそうよ」

――園井さんがひどいこと書かれてるから、先生、何とかして。

「先生も驚いて、軟式テニス部の顧問の先生とも相談した上でわたしに連絡してくださったんだけど、今のところ、美香が中傷されてるのはサイトの上だけで、学校生活には変わった様子はないっていうのよね」

そんなの、孝太郎には事実と思えない。先生たちの目には見えないだけ、あるいは巧妙に隠されているだけではないのか。

「美香と話してみたんですか？」

「うん、学校へ行った日に、すぐ」

「何て言ってました？」

「裏サイトのことは知ってるけど、そんなに大げさに騒ぐほどのことじゃないって、わたしの方が逆に叱《しか》られちゃった」

やっぱり、美香は母親に心配をかけたくないのだ。

「こっちが今までどおりにしてれば、自然に収まるよって。美香は、下川君ていう三年生と付き合うつもりもないし、下川君の方も今は受験勉強一本槍《やり》なんでしょ？　これ以上どうなることもないわよ」

それは楽観に過ぎる。本人たちにはどうするつもりもなくても、事は勝手に拡大しているというか、煮詰まっているのだ。

「オレにはそう思えませんけど……」

「コウちゃんも学生さんだからね」と、貴子は小さく笑った。「学校のなかで起こる出来事には敏感になって当然よ。だからホントにごめんなさい。美香も大丈夫だって言ってるから、もう心配しないで」

「でも」

「確かに、サイトに書かれてることだけを見ると酷《ひど》いけど、あれって、どこまで本気かわからないところがある。昔はね、わたしなんかの世代は、ああいう鬱憤《うっぷん》は日記に書いておしまいにしたものよ。でも今の子は、ネットで発散しちゃうのね。ネットがオープンな場だと思ってないのよ」

その説は、孝太郎にもわかる。クマーで働くようになってからは、実感もある。ネットはひとつの社会だと認識することができないまま、社会に参加しているという意識を持たないまま、個人の感情を垂れ流しにする人びとは、いる。それも大勢。

「年頃の女の子たちの鬱憤ばらしの言葉をまともに取り上げて叱ったりしたら、かえって良くない結果になりそうでね」

「担任の先生がそう言ってるんですか」

「そうだけど、わたしも同感よ。うちの職場にだって似たような問題はあるから、こういうトラブルに出くわすのがまるっきり初めてってわけでもないし」

そうなんだろうけど、でも。大人と子供じゃ事情が違うし、心の動き方も違う。

「ホントの話、美香は毎日元気に学校に行ってるし、部活も頑張ってるのよ。いっとき元気がなかったのは事実だけど、それは裏サイトがいちばん盛んだった時期で、今はもう通り過ぎてるの」

　孝太郎が見たあの言葉の羅列は、ピークを過ぎたころのものだったというのか。

「それだって充分に悪質ですよ」

「悪質よね。お行儀が悪いわよ。でも、中学生の女の子たちが書き込んでるだけの、ただの悪口なのよ」

　貴子おばさん――孝太郎は携帯電話を握ったまま息を止めた。

　強がってないですか。

　一美の目は確かだった。おばさん、うちのおふくろだけじゃなく、三島家の全員に対して突っ張ってないですか。いや、この場合の〈三島家〉というのは単なる代表で、何を代表しているかっていったら、それは〈世間〉というものだったりして。

　それとも、逆だろうか。貴子おばさんは怖がってるのだろうか。怖くてたまらないから、強いて事を小さく受け止めようとしているのではないのか。

「当面、美香のことはそっとしておいてやってくれる？　一美ちゃんだけじゃなく、コウちゃんにまで心配かけてるなんて、あの子、面目《めんぼく》なくって机の下に隠れちゃうわ」

「おばさんが……そうしてくれっていうなら、オレはそうしますけど」

「ありがとう」

話はこれで終わりなのか。オレが空回りしていただけなのか。だったら、何でこんなに息苦しいような、嫌な感じがするんだろう。

「おばさん」

「はい？」

「また何かあって困ったら、そのときは言ってください」

「うん、そうするわ」

「そんなことにならないように、オレも願ってるけど」

「うん。ごめんねコウちゃん、もう昼休みが終わるから」

電話は切れた。孝太郎の感覚では、切れたというより、園井貴子の声が逃げていったように思えた。

楽観なのか隠蔽《いんぺい》なのか。強がりなのか怖がりなのか。そっとしておくというのは、知らん顔していることとどう違うのか。

孝太郎の口のなかには、ざらざらとした感触が残った。今の電話を通して、苦い砂が吹き込んできたかのように。

その日はクマーで、午後五時から十一時まで勤務することになっていた。交代で帰るカナメが、孝太郎の顔を見るなり、

「どうかしたの？」

「何が」

「眉間《みけん》に見事な一本皺《じわ》」

　孝太郎は指で眉間をこすりながら着席した。

「今日ね、山科さんとこに取材が来てた」

引き継ぎの合間に、カナメがモニターの陰に頭を隠して小声で言った。基本的に、ここに座ったら私語は禁止だ。

「取材って？」

「テレビ局のクルー。一ヵ月ぐらい、ずっと山科さんに張り付いてるんだって。今度は長いこと東京にいるのも、そっちの関係だったらしいよ」

　孝太郎は会っていないが、もう一週間以上、山科社長は東京支社にいる。

「どんな番組？」

「〈輝くランナー〉。知らない？　深夜番組だけど、真面目《まじめ》な人物ドキュメントよ」

山科社長は、今もっとも輝いている女性起業家の一人として紹介されるのだそうだ。

「ここにも撮影が入ったのか?」

「うちには来なかったけど、BB島を撮ってったみたい」

「カナメ、テレビに出たかったんだろ」

「いやぁね、あたしはそんなの興味ナシよ。真摯《しんし》な学究の徒なんだから」

山科社長も、孝太郎の印象としては、マスコミに顔を売りたがるタイプの人ではない。これまで何度か雑誌の取材がかかったが断ったと、真岐に聞いたこともある。

――うちみたいな仕事は、無防備に世間に知られない方がいいんだ。

何か方針転換の理由があるのかな。札幌新支社設立と関係があるのかもしれないと、
臆測《おくそく》をたくましくする必要はなかった。今日は誰を誘う気にもなれずに一人で休憩室へ行こうとしたら、通路に出たところで、当の社長とばったり会ってしまったのだ。

「あら、三島君」

黒のスーツに白いハイネック。黒いハイヒール。ピンヒールで七センチはある。大ぶりなビジネスバッグを提げ、キャメル色のコートを持っていた。

「あ、こんばんは」

社員が社内で社長に会ったとき、どういう挨拶《あいさつ》をすれば適切なのか、孝太郎はいまだにわからない。

「えっと、お帰りですか。お疲れさまです」

「君は休憩時間？」

「はい」

山科社長はうなずき、何故《なぜ》か小首をかしげた。黒髪を編み込みにして、頭のてっぺんでまとめてある。ほどいたら背中の半ばまで届くロングヘアだと、これはカナメ情報だ。

山科鮎子《あゆこ》、三十五歳。身長一七二センチ、細身で手足が長い。名古屋の名門県立高校時代には、女子バレー部のキャプテンだったという。今でも運動好きで、暇さえあればジムに通う。社内でも、来客が一緒でない限り、エレベーターを使わない。

「帰ろうかと思ってたんだけど」

気が変わったと、孝太郎に笑いかける。

「三島君、お蕎麦《そば》好き？」

「へ？」

「駄目ねえ。こういうときは『はい社長、大好物です』と言えばいいの」

行こ——と、山科鮎子は孝太郎の肩をぽんと叩《たた》いた。

連れて行かれたのは、クマーのすぐ裏手のビルの地下一階にある店だった。客は半分ほどの入りで、店内は静かだ。落ち着いた雰囲気だし、ＢＧＭは音量を絞ったクラシック。蕎麦屋ではなく蕎麦懐石の店である。

席についてメニューを開くと、山科社長は孝太郎には何も聞かずにさっさと注文を済ませ、顔なじみであるらしい店主に「一時間以内でお願いします」と言った。次にはビジネスバッグからスマートフォンを取り出し、手早くメールを打つ。そして言った。

「セイちゃんに、社長面接やるから三島君の休憩を一時間にするよって言っといた。慌《あわ》てなくていいわよ」

何もかも手回しがいい。

「す、すみません」

蕎麦茶の湯飲みを手に、山科社長は正面から孝太郎の顔を見た。「セイちゃんから聞いてる。頑張ってくれてるんだってね」

ゼミ仲間だったころからの習慣だろう。山科鮎子はいまだに真岐誠吾を〈セイちゃん〉と呼ぶ。真岐の方は、どんな局面でも〈社長〉と呼んでいるのに。

二人はどんな関係なのだろう？　仕事のパートナーであり、友人。ただそれだけではなさそうだと、カナメも話していたことがある。普段、カナメはあまり他人のそういうことに興味を示す方ではないのだが、この二人のことは特別なのだと前置きして。

――だって、憧《あこが》れちゃうから。

実は恋人同士なのかな。住まいは別々のようだけど、親しく行き来しているらしいことは、真岐の様子を見ていれば察しがつく。

白状すると、孝太郎はカナメ以上にこの二人の関係を気にしていた。興味があるのではない。気になって気になってしょうがないというレベルだ。

憧れだと、はっきり言い切ってしまえるほど、孝太郎は素直ではない。そのへんがカナメとの差だ。年下だろうが社長とバイト社員の関係だろうが、孝太郎も男の端くれだから、女性に〈憧れている〉なんて言いたくない。

ただ、のぼせているのだ。自覚はある。あの夏の暑かった日、絵本専門店の売り場で『ヨーレのクマー』を立ち読みし、この小さな物語を愛する起業家とはどんな人なのかと心を動かされた。その後、採用面接で顔を合わせたその人は思いがけず女性で、しかも孝太郎がそれまでの人生で出会ったどんな女性よりも美しく、凛《りん》としていた。成り行きがそんなふうだったんだから無理もないよ――と、誰に釈明する必要があるわけでもないのに、自分では思っている。

現に今も、孝太郎は手が震えてしまって、それを隠すためにしゃっちょこばって座っていた。頬の火照《ほて》りは、店内の暖房のせいにしてごまかせるかな。社長と一対一で飯なんて、もちろん初めてだ。こんな機会が二度あるとも思えない。

「自分はまだまだ勉強が足りません」

「そう？　セイちゃんは、三島君が来てくれて戦力アップだって評価してるよ」

料理が出てきた。突き出しなんて言っちゃいけない。こういうのは〈八寸〉とか呼ぶべきだろう。

「食べよ。お腹《なか》すいてるでしょう」

山科社長はさっさと箸《はし》を取る。孝太郎はぎくしゃくと手を動かし、箸を取り落としそうになって、さらに頬が熱くなった。

「うちはこんな仕事だから、大学の授業との両立は大変だろうけど、困ってない？」

「大丈夫です。カナメ――芦谷さんがいますから」

「彼女も優秀だよね」うなずいて、山科社長は嬉しそうにくつくつ笑った。「カナメちゃん、よく食べるでしょ。あの細い身体《からだ》のどこに入るんだろうって驚いちゃった」

「社長、ご存じなんですか」

「半月くらい前かな。一緒に食べ放題の焼き肉屋に行ったのよ」

それも〈社長面接〉か。新規導入の学生バイトたちがどんな様子なのか、社長の目で、個別に確かめる。

――それだけのことなんだよな。

別段、孝太郎だけ特別扱いしてもらっているわけではないのだ。現にカナメの方が半月も早く呼ばれたわけだし、今だって、たまたま会ったからタイミングがよかっただけだ。

ちょっとがっかりした。バカだけど、がっかりした。何を期待してたんだよ、オレ。

「例の〈指ビル〉とかいう事件がらみで、セイちゃんに駆り出されたってことも聞いたわ。あれはセイちゃんの悪い趣味っていうか」

ものを食べながらしゃべって、それでも美人だってのは、どういう人なんだ。

「あの人、心配性なのよね。いつか日本にも、アメリカで名を馳《は》せてるみたいなタイプの連続殺人者《シリアル・キラー》が現れるって、十年も前から不安がってるの」

「実際、変な事件が起きてますよ」

「そうだけど、やっぱり事件の様相が違うわよ。規模も違う。だってアメリカ全土には、逮捕されずに活動中の連続殺人者が、常に三十人ぐらいは存在してるっていうんだから」

ＢＢ島に数日間ヘルプに入っただけでも、この国にも潜在的にはそれくらいの数の連続殺人者候補が存在しそうだと、孝太郎は思う。巨大掲示板に集っていた犯罪マニアのなかには、明らかに加害者側の視点で事件に熱狂している人びとがいた。

「まだ表面化してないだけじゃないかって気もしますけど」

「犯罪へ傾斜する心が、具体的な行動に繋《つな》がってないだけだって意味？」

蕎麦寿司《ずし》を呑《の》み込んで、孝太郎はうなずいた。喉が詰まりそうだ。

「かもしれないね。でも、だからこそあんまりその方向に考えない方がいいと思うの」

箸を持ったまま、山科社長は優雅に片肘《かたひじ》をついた。

「人が考えることって、いつか現実化しちゃうのよ」

考えると現実になる？

「あたしは心理学を学んでないから、この言葉の使い方が正しいかどうかわからないけど、〈集合的無意識〉ってあるでしょ？　それってつまり、大勢の人間がひとつのソフトを頭のなかにインストールする、もしくはインストールされるってことと同じじゃないかな」

　この場合は連続殺人者の手口ね、と続ける。

「または連続殺人者の行動様式とか、動機付け。海の向こうから入ってくる情報が、この国の人たちの頭のなかに染《し》みこんじゃう。仮に日本がまだ文化的に鎖国していたら、自力では醸造することも育成することもなかったタイプの犯罪の手口や動機が、そうやって誕生してしまうの」

　お造りに続いて、メインの料理が運ばれてきた。天ざるだ。揚げたての天ぷらの香ばしい匂《にお》いが鼻をくすぐる。孝太郎の胃袋は正直にぐるぐる鳴った。

「でも、世界のどこかで起こってることは、いずれこの国でも起こる。特に日本は、アメリカ文化の影響をまともに受けるからね」

　空になった八寸の器を脇《わき》に退《ど》けながら、山科社長はため息をついた。

「だから予測して備えておくことは大切よ。でも、そのために情報を得ることが、その情報によってあるパターンの事件が引き起こされる遠因にもなる。表裏一体だし、鶏と卵の関係ね。だからあたしもセイちゃんの心配を杞憂《きゆう》だと笑う気はないけど、今回の件ではまだ勇み足だと思うわ」

　けっこう硬い話をしているはずなのに、孝太郎の胃がまたぐるぐる鳴った。恥ずかしくて汗が出る。

おまけに、孝太郎は余計なことに感動していた。山科社長が、自分のことを〈あたし〉って言ってる。今までの数少ない機会では、〈わたし〉しか聞いたことなかったのに。

「天ぷら、あんまり好きじゃなかった？」

「は？」

「熱いうちに食べた方がいいと思うよ」

「はい、いただきます」

オレ、カンペキに赤くなってる。みっともないっていうか、何だこりゃ。

「ごめんね」と、山科社長は明るく笑った。目尻《めじり》に薄い笑い皺ができる。皺ってこんなに可愛いもんだったんだなと、孝太郎は思う。

「実は、さっきまでセイちゃんとこの話をしてたのよ。けっこう熱くなっちゃってね」

俺は仕事忙しいから今日はここまでと、真岐に追い払われたのだと口を尖《とが》らせた。

「社長は話し足りない気分だったんですね」

「そういうこと。三島君は災難かもしれないけど、まあ聞いてよ。セイちゃんは、あたしの方こそ考えすぎだって笑うんだもん」

豪快な感じでざる蕎麦をすすり、

「三島君、今度の指切断事件の犯人が、なぜ〈指ビル〉って呼ばれてるか知ってる？」

それは孝太郎も疑問に思っていたことだ。巨大掲示板のなかではもう〈常識〉と化しているのか、誰もわざわざ説明していなかった。

「『羊たちの沈黙』っていう小説があるの。映画にもなったけど」

「ミステリーですよね。オレ、あんまりそっち方面には興味がなくて」

「そっか。あのね、その小説にも連続殺人者が登場するんだけど、女性を殺害しては」

山科社長は静かな店内にちょっと目をやり、声を落とした。

「被害者の身体の皮を剥《は》ぐのよ。複数の被害者の皮を縫い合わせて、着ぐるみみたいに、女性の身体をつくろうとしているの」

その犯人についた通称が〈バッファロウ・ビル〉だというのだ。

「〈指ビル〉のビルは、そこからきてるの。こっちの現実の事件の被害者は女性だけじゃないけど、被害者から身体のパーツを奪い取るという点では、まあ共通点がある。だからこじつけられちゃったのね」

たったそれだけのことだったのか。

「そもそも『羊たちの沈黙』の犯人像も、実在したエド・ゲインという連続殺人者の犯行からインスパイアされて創作されたものなのよ。その創作から、さらに二次創作という形で、こじつけの〈指ビル〉が誕生した」

つまるところは事実の物語化なのよ——と、山科社長は真顔で言った。

「ひとつの事実から物語が生まれ、その物語が次の事実に取り込まれて、また物語としてふくらんでいく。だから、犯人という事件のいちばんの中心人物ではない、まったくの第三者であっても、〈この物語のメインの筋書きは何か〉ということさえ了解できるなら、事件の展開を先読みすることができる」

熱が入ってきたのか、山科社長は声を潜めるのを忘れてしまった。

「アメリカで多発している現実の連続殺人者による犯行は、ほとんどの場合、先行する有名な連続殺人者の犯行の模倣から始まるの。模倣した上でバージョンアップする。より多数の犠牲者を出したり、より派手な手口にしたりね。そうじゃないと社会が騒がないし、騒いでもらえないと連続殺人者は満足できない」

筋書きのない事象には、人は心を奪われない、と言った。

「それ自体、現実の物語化以外の何ものでもない。だからこそ、彼らを追跡する際に、過去の事件から犯人の動機や行動パターンを抽出してあてはめる〈行動分析《プロファイリング》〉という手法が有効になるんだけど」

　孝太郎はただうなずくだけだった。

「そういう傾向、あたしには、健全なものだと思えないの。犯罪なんだから最初《はな》から健全も何もあったもんじゃないんだけど――何ていうのかな、事件の物語化が一般化したことによる解釈ごっこの流行が、そんな傾向が存在していなければ起こらなかったはずの事件まで呼び起こしてしまっているような気がしてしょうがないから」

　そして急に、ぺちりと音をたてて、手で目元を覆《おお》った。

「ど、どうしたんですか」

「またやっちゃったわ、あたしったら」

　演説しちゃったと、恥ずかしそうに小声で言った。「これだからセイちゃんに笑われるのよ」

「いいですよ。すごい面白い話でした。オレなんか考えたこともなかった」

　ホントに話し足りなかったんですね、社長。

「あのぉ、今日の取材でも、今みたいなことをしゃべったんですか？」

　山科社長は目元から手を離すと、びっくりしたように首を振った。「とんでもない！　ゼンゼン別件だったんだし」

「別件？」

「うん」

大きくうなずき、でも我に返ったみたいになって、山科社長は座り直した。

「ちょっとね、新しいことを始めようと計画してるの。それにはスポンサーが必要なもんだから、宣伝活動の一環として取材を受けただけよ」

孝太郎が微妙な顔をしたからだろう、宥《なだ》めるように、社長は笑顔になった。

「心配しないで。クマーとは関係のない計画だし、クマーを巻き込むつもりもない。わたしが一人でやろうとしてることよ。今はまだ話せないけど、遠からず、ちゃんとみんなに公表するわ」

自称が〈あたし〉から〈わたし〉に戻った。

「もうこんな時間」

腕時計をちらりと見て、山科社長はあわてた顔をした。カウンターの向こうにいる店長に手を上げる。

「ごめんね。落ち着いて食べられなかったでしょう」

「そんなことありません。旨《うま》かったです。ご馳走《ちそう》さまでした」

伝票を持ってきた店長にクレジットカードを渡し、会計を済ませると、山科社長は〈わたし〉の顔で孝太郎に向き直った。

「自分用に、クローリング・ソフトを持ち帰ったんだってね」

「はい」

「入れ込み過ぎないようにしてね。三島君の本分は学生なんだから」

「真岐さんからもよく注意されてます。気をつけます」

「この仕事してて、どんなことを感じる？」

孝太郎は少し、返答を考えた。

「オレはこのバイトするまでネット使いじゃなかったから、まだまだ素人《しろうと》っぽい感想になっちゃいますけど」

「うん、それでいいから聞かせて」

「ネットには凄《すご》い知恵っていうか知識っていうか、大事なこともたくさんありますけど、それはけっこう限られたところに散在してて——ちょうど島みたいに」

うんわかると、山科社長はうなずいた。

「あとの、いわば海にあたるような部分は、暇つぶしと憂《う》さ晴らしだなって思います。あ、悪い意味ばっかりじゃなくって」

友人や仲間たちとの他愛《たわい》ないおしゃべり。現実の世界では出会う機会さえない距離にいる同好の士を見つける喜び。愚痴を並べて慰めてもらい、悩みを打ち明けて相談する。好きな映画やコミックの話に興じ、芸能人のスキャンダルについて語り合う。

「大事なことが一握りであるのと同じで、危険なことも一握り。全体としては、混沌《こんとん》としてるけど活気がある広い海。そんな感じが、オレはしてます」

「なるほどね」

山科社長は言って、微笑《ほほえ》んだ。

「三島君は、憂さ晴らしに何か書き込んだりすることがある？」

「や、オレ、守秘義務については真岐さんに叩き込まれましたから」

「そういう意味じゃないわよ」

社長は頰杖《ほおづえ》をついてちょっと目を凝らした。

「よろずに攻撃的な人っているでしょ」

「炎上を起こすのが好きだとかですか」

「そこまでいかなくても、たとえば映画評とか芸能人の品定めでもいいけど、正鵠《せいこく》を射てはいるんだけど辛辣《しんらつ》だったり、何でもかんでも批判するばっかりだったり」

孝太郎にも思い当たる。「ああ、いますねえ……。こないだ巨大掲示板を舐《な》めたとき、いっぱい見ました」

「わたしの友達にもいるの。本人はすごく常識的な人で、仕事もできるし家庭も円満。それでもやっぱりストレスは溜《た》まるでしょ。それを、ネット上でキツい発言をして発散してるっていうのよ」

大いにありそうな話だ。

「ネット人格は現実の自分とは違う。きちんと切り離してるから、ネット上ではどんなキツいことやえげつないこと、現実の生活では口にできないようなことを書き込んだって大丈夫よって、彼女は笑ってる。そういうネットの使い方は、確かにあると思う」

孝太郎はうなずいた。

「でも、わたしはそれ、間違いだと思うの」

言葉は残るから、と言った。

「わたしの友達みたいなスタンスでいろいろ書き込んでる人は、自分は言葉を発信してるだけだと思ってる。匿名《とくめい》なんだし、遠くへ投げて、それっきり。誰かの目にとまったとしても一時的なものだって。それはとんでもない勘違いよ」

「ネットに発信した情報は、ほとんどの場合、どこかに残りますからね」

「いいえ、そういう意味じゃない」

きっぱりと否定された。

「書き込んだ言葉は、どんな些《さ》細《さい》な片言隻句《へんげんせつく》でさえ、発信されると同時に、その人の内部にも残る。わたしが言ってるのは、そういう意味。つまり〈蓄積する〉」

言葉は消えない。

「女性タレントの誰々なんか氏ね。そう書き込んだ本人は、その日のストレスを、虫の好かない女性タレントの悪口を書いて発散しただけだと思ってる。でも、〈氏ね〉という言葉は、書き手のなかに残る。そう書いてかまわない、書いてやろうという感情と一緒に」

そして、それは溜まってゆく。

「溜まり、積もった言葉の重みは、いつかその発信者自身を変えてゆく。言葉はそういうものなの。どんな形で発信しようと、本人と切り離すことなんか絶対にできない。本人に影響を与えずにはおかない。どれほどハンドルネームを使い分けようと、巧妙に正体を隠そうと、ほかの誰でもない発信者自身は、それが自分だって知ってる。誰も自分自身から逃げることはできないのよ」

うちのおふくろだったら、〈やったことは身に返る〉という言い回しをするだろうと、孝太郎はふと思った。

「だから、さ」

コートとバッグを手に椅子《いす》から立ち上がり、山科社長は言った。

「三島君はそういうことをしないでね。現実のなかのストレスは、どんなにカッコ悪くたっていいから、現実のなかで処理すること。いいわね？」

よく覚えておきますと、孝太郎は言った。

始まったときにはありふれた一日が、終わるころには特別なものになる。それは幸福なことであり、意外と疲れることでもある。午後十一時を過ぎて勤務管理用の端末にコードと時間を打ち込むころには、孝太郎は大あくびを噛《か》み殺していた。

いろいろな理由で食べた気のしない夕食だったので、小腹がすいていた。休憩室の自販機で何か買おうと足を向けると、壁際《かべぎわ》のテーブルで森永が一人、カップラーメンを食べていた。

「お、お疲れ」

「お疲れさまです。森永さん、今夜は」

「朝までシフト。コウちゃんは上がりか」

「はい」

缶コーヒーを買って座ると、森永はすぐ今日の取材のことを話し出した。学校島にもカメラが入ったそうだ。同行していた女性記者が美人だったとかで、ひとしきり愉《たの》しそうにしゃべってから、

「そういえば、その後どうだ？」

美香の学校裏サイトの一件である。気にしてくれているのだ。

「こないだはありがとうございました。事情がわかってきたんですけど――」

孝太郎は簡略に説明した。

「そっか。まあざっくり言うなら恋愛トラブルだったんだな」

中学生のことでも、森永は大真面目な表現をした。

「自然に鎮火するならそれがいちばんだけど、コウちゃんはあんまり納得してないみたいだね」

ちゃんと孝太郎の愁眉《しゅうび》に気づいている。孝太郎も正直にうなずいた。

「歯がゆいです」

「こういうことは、そういうもんだよ」

だんだん厄介になるよな、と呟《つぶや》く。

「ついこのあいだの統計だと、中学生でも四九パーセントの生徒が自分の携帯電話を持ってるんだよ。高校生にいたっては九八パーセントだ。ネット・リテラシーの教育はゼンゼン進んでないのにさ。先が恐ろしいよ」

「今日はオレ、そういう感じの現状を憂《うれ》える発言を聞くのは初めてじゃありません」

森永は笑った。「じゃ、僕はこの程度にしとく」

空になったカップに割り箸を突っ込むと、「それよりさ、コウちゃんは西武新宿線の沿線に詳しいか？」

孝太郎はきょとんとした。「何ですか、出し抜けに」

「うん……。僕は地方から出てきてるから」

森永は確か北陸の出身のはずだ。

「都内のことは、ストリート・ビューで見てるぐらいじゃ、今ひとつピンとこないんだよね。山手線の外の私鉄沿線だから、住宅地なんだろうって見当はつくんだけど」

「それでも、オレの家の方よりはずっと賑《にぎ》やかです。学園町《まち》もあるし」

森永はうなずき、孝太郎の顔を見た。

「うちの島で僕が担当してる案件のなかに、中高生のガキどもがやらかす〈ホームレス狩り〉があってさ」

面白半分で、あるいは憂さ晴らしに、集団もしくは少人数のグループでホームレスを襲撃し、怪我《けが》をさせたり、死に追いやることもある。過去には何度か警察が捜査に乗り出し、新聞ダネにもなった。

「このごろじゃ、襲撃グループのなかに小学生が混じってることまであって、ホント、世も末だと思うんだけどね」

　おっしゃるとおりだ。

「ホームレス狩りをやらかすようなアホガキどもも、ネット社会には大勢参加していらっしゃってさ。しょっちゅうやりとりして、手柄を競ったり情報を交換してる。襲撃現場を動画に撮ってサイトにアップしたり」

　森永は本当に不愉快そうに言う。

「うちの島とホットラインセンターとのやりとりじゃ、ホームレス狩りはけっこう大きな案件なんだよ」

　ホットラインセンターというのは、正式名称を〈インターネット・ホットラインセンター〉という。六年前に警察庁が創設した組織で、インターネット上の違法情報や有害情報に関する通報を受け付け、所轄《しょかつ》警察に通報したり、プロバイダに削除依頼を行う。いわば、お上が運営するサイバー・パトロールの総本山だ。

またこのホットラインセンターは、クマーのような民間企業でサイバー・パトロールを行っているところに、業務委託することもある。これは一年契約の入札制で、クマーでは一昨年《おととし》、ここの仕事を受託したそうだ。

真岐からこの話を聞いたとき、孝太郎は、自分がバイトしてるうちにまたクマーがホットラインセンターと契約してくれるといいのにな、と思った。だからといって日々の仕事が変わるわけではないし、民間企業との顧問契約の方がずっといいビジネスになるのはわかっているけれど、カッコいいじゃないか。

「だもんで、僕もずっとウオッチしてる。傷害や暴行に至る前の段階の、たとえばホームレスをからかったり、段ボールの家を壊したり、彼らの生活用品を盗んだり、そういうレベルのガキどもでも、いつそれ以上へと進むかわからないからね」

サイト上でやりとりしているうちに、互いに煽《あお》り合うということもあるからだ。

「このごろ、そういうガキどものなかに、変な情報が流れてるんだ」

ホームレスが消えている、という。

「消えてる？」

「うん。つまりガキどもにとっては、からかったりふざけかかったりする対象が姿を消してるってこと。〈獲物が消えてる〉〈こっちもだ〉って、やりとりしてるんだ」

その現象が起こっているのが、西武新宿線の沿線だというのである。

「そうすると、かなりの数のガキどもが」

「うん、同じ現象に気づいて、似たような情報を出してきてるわけ」

孝太郎は、窓の外の街明かりに目をやって、何度かまばたきをした。

「単純に、ガキどもがしつこくてうるさいから、ホームレスが他所《よそ》へ移ったんじゃないですか」

「それだって、いきなり遠くへは行かないだろう。ホームレスにはホームレスの縄張りがあるだろうし、それに彼らは徒歩で移動するんだよ」

言われてみればそうだ。孝太郎は考えた。

「じゃ、ガキどもが知らないだけで、そのあたりの自治体で何か保護とかを強化することになって、ホームレスをどんどん施設に収容してるとか」

「僕もそう思った。だからいくつかの役所に問い合わせてみたんだ」

そんな動きはなかった、という。

「区報や市報をチェックしてみても、その類《たぐ》いの記事も報告もなかった。沿線のどこかで新しい保護施設が開設されたなんてこともなかったよ」

こういうところ、森永はマメである。

「どれぐらいの人数が消えてるんですか」

「複数のグループのガキどもが、それぞれ勝手だけど呼び名をつけてくれてたおかげで、僕の方で判別がついただけでも五人」

　ちょっとまとまった数だ。現在の〈指ビル〉の被害者より多い。

「いつごろから?」

「二週間ぐらい前」と言って、森永は顔をしかめた。「ただ、消えた五人のほかにも気になる件があってさ。それは今月の五日」

　孝太郎はケータイを取り出してカレンダーの画面を見た。

「場所は新宿区の百人町ってとこで、西武新宿線の新宿駅が近い。ここで、猪野《いの》幸三《こうざぶ》郎《ろう》さんという七十二歳の年配者が姿を消してるんだ。この人はホームレスじゃなくて、百人町のアパートに住んでて、住民登録もしてる。ただ、暮らしぶりがね」

　空き缶と段ボール集めを生業《なりわい》としているのだという。ホームレスと間違えられるかもしれない。

「この人が、まさに忽然《こつぜん》と姿を消してるんだ。アパートはそのままだし、猪野さんが回ってたルートの路上には、いつも引っ張ってたリヤカーが置き去りになっていた。資源ゴミを山積みにしたまんま、ね」

「その人も、以前からガキどもの標的にされてたんですか？」

「いや、その近辺には、ホームレス狩りをやってるガキどものグループはない。検索してて、サイトに寄せられた書き込みから見つけたんだ。百人町の中学生が、〈うちの近所にも汚いじじいのホームレスがいたけど　消えちゃったんだよね〉って」

それを手がかりにさらに検索してゆくと、地元のミニＦＭ局のサイトが見つかり、そこで、ほぼ毎日猪野幸三郎と顔を合わせていたという喫茶店の店主が、「これこれこういう人が五日以来姿を消しているので、何か知っている人がいたら教えてください」と、呼びかけていたというのである。

孝太郎は記憶をたどってみた。今月の五日というと——

「前日の四日に、冬の大嵐《おおあらし》がきましたよね？　すごい暴風雨だった」

一美が怖がって大騒ぎをしたから、よく覚えているのだ。

「都内でも床下浸水した場所があったし、電柱が倒れたりして被害が出ちゃって」

「うん。僕のアパートの近所は、道路が冠水しちゃって大変だったよ」

「猪野さんて人も、あの嵐で事故にでも遭ったんじゃないですか。悪天候でも、リヤカーを引っ張って仕事してたんでしょう？」

だが森永はかぶりを振る。「事故って、どんな事故さ。増水した川に落ちるとか？

荒川や多摩川のそばじゃないんだよ」

孝太郎も思いつきで口にしているので、ちょっと困った。「暴風で何かが倒れてきて下敷きになったとか」

「そんな事故なら、救助されて病院に運ばれるさ。ちゃんと住まいのある人なんだから、アパートの大家さんに、本人か病院の職員か警察官か、誰かしらから連絡が来るはずだ」

森永は現実的に考えており、孝太郎の思いつきはすぐネタ切れだ。

「やっぱ連続失踪《しっそう》事件——ですかねえ」

「そう。起点の猪野さんは、外見でホームレスと間違えられた。僕はそう思う」

その言い方は、既にして〈誰かがホームレスたちを消している〉と決めている。

「島長《とうちょう》には報告したんですか？」

「したよ。ほかの通報案件とは質が違うけど、一応、ホットラインセンターに情報を上げてくれた。あそこに知り合いがいるんだって」

仕事を受託していた時期があるからだろう。

「でもさぁ、警察がすぐ動いてくれるとは思えないんだよなあ」

森永はため息をつき、椅子の背にもたれて頭の後ろで手を組んだ。

「六人も消えてるんですよ」

「猪野さん以外は、元から行方不明みたいな立場の人ばっかりだよ」

その表現は、ちくりと孝太郎の感傷を刺激した。森永の不審そうな——いや、はっきり心配そうな横顔も。

「ネットから情報を取ってるだけじゃ、警察組織っていう現実の塊は動かせない」と、森永は呟いた。「だったら自分で動いて、少し調べてみようかなって思ってさ」

「調べるって、どこからどうやって」

「それはやっぱ、起点の猪野さんの件から順番に。素人には無理かなあ」

孝太郎は、何と言って止めようか迷った。「ええ無理ですよ」ではブレーキになるまい。そこまでやるのは踏み込み過ぎですよ——

わざわざ生《なま》な現実と関わることなんかない。そっちはオレらの担当じゃない。ホットラインセンターに情報を上げて、パトロールとしての役目は充分に果たしているじゃないか。

孝太郎の疑問を読み取ったのか、森永は組んでいた手をほどくと、座り直した。

「僕、思い入れがあるんだよ」

ああいう、家を失った人たちに。

「僕ね、小学校の五年生のときに、家族で夜逃げした経験があるんだ」

父親が事業に失敗したからだ、という。

「借金取りから逃げるために仕方なかったんだけど、当時は僕、まだ子供だったから、心細いし悔しいし、毎日毎日惨《みじ》めで恥ずかしくて、死にたいくらいだった」

孝太郎には想像もつかない。

「あっちこっち転々として、親戚《しんせき》とか知り合いの世話になって、何とか生活を立て直すまで、二年近くかかったかな」

その二年のあいだに身に染みた、という。

「家があって電気とガスと水道が使えて、三度の飯が食べられて、大人は仕事をして、子供は学校へ行く。そういう生活って、すごく脆《もろ》いんだ。ちょっと判断を誤り、そこにちょっと不運が重なると、ぼろぼろとすべてが崩れて失《な》くなってしまうんだよ」

森永はかつて、それを経験しているのだ。

「だから今でも、橋の下とか公園の隅に段ボールとブルーシートでできた家を見るたびに、何か疼《うず》くんだよね、ここが」

心臓の上を軽く叩いてみせた。

「一人一人の人間なんてさ、砂粒みたいにちっちゃなものだよ。この社会は砂漠で、無数の砂でできてる。一粒一粒の砂のことなんか砂漠は意識してくれないし、そもそもそれを要求する方が無理だ」

でもさ——と、照れたように笑う。

「同じ砂粒同士なら、気にかけることだってできるだろ。僕は気にかけたいんだ。消えた人たちのことを誰も捜してないんだろうと思うと、堪《たま》らないんだ」

その台詞《せりふ》は、さっきよりもっと効いた。これじゃ止めたって無駄だ。

「それなら、やってみればいいと思います」

森永は嬉《うれ》しそうな顔をした。「コウちゃんなら、そう言ってくれると思ったよ」

「けど、これから世間は、一年でいちばん浮かれる時期ですよ。クリスマスで正月で、新しい年になる。調べるったって、うまくいくかなあ」

三島家でも、ケーキとチキンの予約がどうとかこうとか、今朝、母・麻子と一美が話していた。リビングには小さいツリーが飾ってあるし、玄関にはリースを掛けてある。

そうだよ、クリスマスなんだよ。孝太郎はにわかに、一人で納得した。今夜の山科社長との食事は、天から降ってきた早めのクリスマス・プレゼントだった。そう思えば、もっと気の利《き》いたことを言えばよかったとか、もっと時間が欲しかったとか、あれこれ引きずらなくて済む。サプライズ・プレゼントをもらって、ラッキーだったんだ。

「どうした？　急に顔が緩んだけど」

森永が怪訝《けげん》そうな目をしている。孝太郎は慌てて表情を引き締めた。

「何でもないです。えっと、だから、そういう調査には時期が悪いなって。帰省や旅行で家を空けちゃう人も多いだろうし」

「まあ、出たとこ勝負だ。猪野さんには行方を心配してる人がいるんだし、住んでたアパートの大家さんを探し出せば、そっちから話を聞くこともできる」

ただね――と、森永は眉《まゆ》をひそめる。

「ストリート・ビューで見る限りじゃ、猪野さんのアパート、よく潰《つぶ》れずに建ってるなあと感心するぐらいのボロ家なんだ。たぶん、住民は生活困窮者が多いだろうし、悪くすると貧困ビジネスが絡《から》んでるかもしれない」

「え？　それじゃ話が違いますよ！」

貧困ビジネスとは、生活困窮者に住まいと食事を与え、その見返りに生活保護費やもろもろの社会保障手当の上前をはねる商売だ。困窮者を救う善意の活動に見せかけた悪徳ビジネスである。

「そんな可能性があるんじゃ、素人が一人で調べるのは危険過ぎます！」

「可能性だけだよ。僕の推測。それだけじゃ警察は動いてくれないんだってば」

「だからって——」

「危ないと思ったら、すぐ逃げるさ。それに、危険があるかもしれないからこそ、保険としてコウちゃんに相談したんだから」

「保険？」

「僕に何かあったら、コウちゃんが真岐さんや警察に、よろしく事情を話してよ」

とんでもないことを言う。

「ンなバカな！　じゃ、オレも手伝います」

「駄目だよ。それじゃ意味がない。〈保険〉は圏外にいてくれなくちゃ」

大丈夫だからさあと、笑いながら孝太郎の肩をぽんぽん叩いた。

「僕は最悪のケースを想定してるだけ。几帳面《きちようめん》で慎重な人柄だからね」

気楽に言うなあ。孝太郎は冷汗をかく。

真岐は孝太郎をクマーに誘うとき、こう言った。コウダッシュは心のどっかでちょっと、世のため人のために働きたいと思ってる。

それは孝太郎だけじゃない。森永も同じタイプなんだ。山科社長と真岐さんは、クマーにそういう人材を集めてる。二人が異口同音に「入れ込み過ぎるな」と忠告するのも、それとわかっているからではないのか。

「ひとつ条件があります」と、孝太郎は言った。「学校島の島長にも、森永さんが調査を始めるってことを話しておいてください」

わかったわかったと、森永は手を打った。

「年内はもう、コウちゃんと会えないかもしれない。正月明けに、僕が何かしら成果を上げてることを期待しててよ」

「くれぐれも用心してくださいよ」

「はいはい」

二人はそこで別れた。それが、孝太郎が生身の森永に会った最後の機会になった。

第二章　死神

1

お茶筒ビルでのささやかな捜索活動は、都築茂典《つづきしげのり》の腰椎《ようつい》に、やはり負担になったらしい。足の痛みと痺《しび》れがひどくなり、一時は座っているのも辛《つら》かった。足首がむくんで、足先ぜんたいが不格好な蕪《かぶ》のような形になった。

「年寄りの冷や水ですよ」

俊子《としこ》には叱《しか》られ、都築の具合を心配して訪ねてきた野呂《のろ》町会長には謝られてしまった。

「ホントに申し訳ないですねえ」

「気にしないでください。こんなもん、手術さえ受けりゃケロッと治るんですから」

その手術の執刀医になる予定の都築の主治医に、年内ぎりぎりで診てもらうと、やっぱり「無理をしちゃいけません」と叱られ、薬を出してもらい、年が明けたら、一月二十日前後には病室が空《あ》くと教えてもらった。

「一ヵ月ほど入院していただくことになりますよ。術前検査で問題がなかったら、すぐ手術です。風邪をひかないように注意していてください」

長いこと待たされたが、やっと順番が回ってくるのだ。調子は悪くても気分は晴れ、目の先が明るくなった。

元日はしゃんと起きて、俊子と二人で雑煮とおせち料理を囲んだ。刑事時代の都築は仲間内でも知られた酒豪だったが、足の状態が悪化してからは、ぴたりと酒を断っている。何かと気が塞《ふさ》いで苛《いら》つくからこそ、アルコールに頼ってはいけないと思ったのだ。今ではお屠蘇《とそ》で顔が赤くなる。

テレビのなかには正月気分が溢《あふ》れ、騒々しいばかりでニュースは少ない。新聞も特別紙面でやたら分厚いが、事件報道は控えめだ。あの指切り連続殺人事件についての続報も絶えた。年末にはかろうじて、〈今年の重大ニュース〉などで触れられていたが、新年になると何も出てこなくなった。二件目の秋田の被害者は、依然として身元さえわからないままのようだ。

報道がないのは捜査に進展がないからだと言い切ることはできない。都築は経験で知っている。ただこの三件の事件については、本当に難航しているのだろうと思う。

——大変だろうねえ。

察するものは多々あるが、都築はあれこれ考えるのをやめた。もう部外者の自分が何を考えたって捜査の足しになるわけもなし、それよりもっと身近に、解決しなくてはならない問題がある。

お茶筒ビルの動くガーゴイル。本格的に調べてみようと、都築は決めた。

足の調子も不安だったし、野呂をあんなに恐縮させてしまった手前、年が変わるまでは出歩くのは控えた。そのかわりパソコンに向かった。ネットのなかに情報が流れているかもしれないと思いついたからだ。

廃ビルの上に放置された怪物の像が動く。話として面白いし、千草《ちぐさ》タエのように〈本当にこの目で見た〉という目撃者がほかにもいるならば、今日日のことだ、そのうちの一人や二人ぐらい、ネットで話題にするだろう。

ところが、そんな話題は見つからない。都築の検索が下手なのだ。

急がば回れで、都築はにわか勉強をした。俊子に頼んでインターネット活用術の本も買ってきてもらったが、独りで悪戦苦闘しているうちに、ネットのなかの疑問には、ネットのなかで答えが見つかるとわかってきた。どうしたらいいかわからないと質問を投げれば、必ず誰かがリアクションして教えてくれる。これは本来、そのようにして使うべきコミュニケーション・ツールなのだと実感し、目から鱗《うろこ》が落ちたような気分だった。それが書籍の辞書や事典とのもっとも大きな相違点なのである。

　おかげで都築は検索の腕を上げ、あらためてお茶筒ビルのガーゴイル情報を探り直し、いくつか発見することができた。

　どれも小さな、目立たない書き込みだった。場所が特定できる書き方はされておらず、写真もない。〈職場の窓から見える〉〈学校の屋上から見て気づいた〉などとあるから、会社員や学生だろう。

　――意外と騒がれないもんだ。

　肩すかしを食ったように感じたが、こうした不可解現象や怪奇現象、いわゆる都市伝説とひとくくりにしていいのだろうが、それを愛好する人びとが集まるサイトを渡ってゆくうちに、廃ビルの上の像が動くなんて、この世界じゃゼンゼン大したことではないのだと、驚きと共に悟った。

　都市伝説は、もっと物語性が強くて興趣に富んでいる。動く銅像なんて話は掃いて捨てるほど存在するし、ただ動くだけでなく、しゃべったり人を追いかけたり呪《のろ》いをかけて石にしたり、さまざまなバージョンがある。お茶筒ビルのガーゴイルは、都市伝説になるにはシンプル過ぎてつまらないのだ。動くと何かが起こるとか、あれが動くにはこれこういう理由があるとか、それなりに起承転結がなくては駄目なのだ。ただ、この先はどうなるかわからない。少数でも書き込みがあれば、誰かがそれをもとに話をふくらます可能性がある。都市伝説はそうやって生まれるのだということも、都築はよく理解した。それに、〈動く〉というだけならつまらなくても、〈いつの間にか手に何か持っている〉という要素が加われば、風向きが変わるかもしれない。そうなると、どれが裏付けのある実情報なのか、都築にも見分けがつかなくなってしまう。

ぐずぐずしてはいられない。千草タエのほかにも目撃者がいることはわかった。想像や噂《うわさ》で変質させられる前の、素《す》の目撃談を集めなくては。自分の身に馴染《なじ》んだやり方で、足で歩いて聞き込んでいこう。また具合が悪くなったとしても、じきに入院して手術するのだ。それまでにできる限りのことをしておこうと都築は思った。

そんなところへ、野呂から電話がかかってきた。新年の挨拶《あいさつ》を丁重に交わし合うと、野呂はすぐにこう言った。「都築さん、具合はどうですか。今日は無理かねえ」

「無理といいますと」

「連合町内会の新年会ですよ。まだ足の方がいかんですか」

都築はそばのカレンダーを見た。本当だ、一月四日のところに、自分の字で書き込んである。午後二時、井田《いだ》町内会事務所、新年会。

「いえいえ、出席させてもらいます。足の方は問題ないし」

「ああ、そりゃよかった」

「それより野呂さん、お茶筒ビルの件では何か進展がありましたか」

野呂はちょっとうんざりしたような声を出した。「何もないですよ。あの件はもういいよねえ。千草さんにも、持ち主が何かやってるだけだから気にするなって、納得してもらいましたから」

まったくの嘘《うそ》ではないが、いろいろ省略した報告である。

「あの若い人、相沢さんでしたっけ？　気のいいお兄ちゃんだったけど、あの会社のなかじゃ、下《した》っ端《ぱ》社員じゃわからないような企画でも進んでるんでしょうよ。放っときゃいいです。あの怪物も棒も、ちゃんと据え付けられてて、下へ落ちるような心配はないんでしょ？」

「ええ、それは大丈夫でした」

こちらサイドの新情報はなしだ。野呂も関心を失っている。聞き込みをしていることが露見《ばれ》たら（まず間違いなく露見るだろうが）、そのとき謝ればいいだろう。

都築は杖《つえ》をついて新年会へ出かけた。地域の町内会長と副会長、消防団団長と副団長、会計担当、輪番の班長が顔を揃《そろ》え、座卓に乾き物やスーパーの総菜を並べてビールやカップ酒で乾杯する。堅苦しい挨拶は短く済ませて、素朴な宴会だ。千草タエも来ていて、野呂と並んで座っていた。彼女からも直《じか》に話を聞きたいが、ここでは我慢だ。

都築は役員ではなく、野呂との付き合いと、元刑事という肩書きがあるから尊重してもらっているだけの一住民だ。こういう場では進んでにこやかに酌などしてまわる。まあまあ都築さんにそんなことをされちゃ困っちゃうよと、防犯パトロール部長は機嫌がいい。乾杯のビールのあとはウーロン茶で、都築は付き合う。

野呂も上機嫌で飲んでいる。都築もそれなりに寛《くつろ》ぎ、こうした気の置けない場で、何かの拍子に誰かの口からお茶筒ビルの話題が出てこないか、それだけは気をつけていた。

宴会が始まって一時間ほど経《た》ったころ、出入口近くにかたまっていた女性たちが、あら、という様子で表へ首を伸ばした。はあいと応じ、引き戸を開けて何かやりとりしていたかと思うと、こちらに向かって呼びかけた。

「すみません、お客さんなんですけど」

黒いダウンジャケットにジーンズ、スニーカーを履き、黒縁の眼鏡をかけた若者が、引き戸のそばに立っていた。身長一七三センチ、体重六八キロ。都築は見当をつけた。大学生だろう。二十歳か二十一。運動家ではない。顔が青白いし、着ぶくれていても体躯《たいく》が薄い。

「お邪魔して申し訳ありません」

若者はぺこりと頭を下げた。やはり運動家ではない。腹筋が弱い発声だ。緊張しているのか恐縮しているのか、口元がぴくぴくしている。

「お客様って、あんたはどちら様？」

こういう場でも、古株の野呂はそつがない。真っ先に応じた。

「僕は森永《もりなが》と申します」名乗って、若者はまた丁寧に一礼した。「いきなりすみません。通りを歩いていて、掲示板のちらしを見たんです。今日はこちらで町内会の新年会があるって書いてあったもんで」

へえ——と、都築は思った。

「新年会ならやってるよ」

井田町の伊藤《いとう》町内会長が言う。少しばかり呂律《ろれつ》があやしい。

「で、何の用？」

「はい、あのですね」

若者は若干へどもどした。

「百人町の町内会長さんはいらっしゃるでしょうか。ちょっとお伺いしたいことがあって、お会いしたいんです」

宴席の人びとが互いに顔を見合わせた。野呂が言う。「悪いんだけど、百人町はうちの連合町内会には入ってないんだよ。あっちはあっちで、新宿西連合町内会ってのがあるんだよね」

森永という若者はぽかんとした。「え、それって」

「だから、ここにはいないんだって。百人町のことなら百人町に行きなよ」

都築はよいしょと腰を上げ、出入口に近づいた。野呂もカップ酒を手にしたままくっついてくる。

「私はここの住民ですが」

前置きして、都築は若者の顔を検分した。落ち着きなくまばたきを繰り返しているが、後ろ暗いことがありそうな臭《にお》いはしない。

「森永君っていったね。このへんの人じゃないだろ」

「は、はい」

「何で百人町の町内会長を探したりしてるんだい」

「あの……」

若者は都築と野呂の顔を見比べる。後ろでは宴会が再開した。ま、野呂さんと都築さんに任せときゃいいよ。

アルコールが入っていない都築と話す方が得策だと判断したのか、森永という若者は都築の方に向き直った。

「百人町に、〈朝日荘〉というアパートがあるんです。すごく旧《ふる》いアパートですけど」

「ああ、知ってるよ」と、答えたのは野呂だ。若者ではなく都築に、「戦後すぐに建った木造アパートですよ」

すると若者はその発言に飛びついた。「家主さんをご存じでしょうか？　アパートに住んでる人たちに訊《き》いても、何か要領を得ないんです」

「あそこの入居者は年寄りばっかりだからねえ」と、野呂はうなずく。「近所づきあいもしてないし、知らない人間が何か訊いたって、まず無駄だね」

都築は若者の目を見据えた。「君、何でそんなことを知りたがるんだね」

「あの、えっと」

現役を離れても、こういうときの都築の目つきには、まだなにがしかの威圧感がある。若者は目に見えて狼狽《ろうばい》した。

「あそこに住んでいた人を探してるんです。猪野《いの》幸三郎《こうざぶろう》さんという七十二歳の男の人ですが、先月の五日から行方がわからなくなっているんです。家主さんなら、猪野さんのことを何かご存じかもしれないと思いまして」

野呂は不審そうに口をすぼめ、カップ酒を傍らに置いて、声をひそめた。

「お兄ちゃん、リヤカーじいさんの身内の人かい」

都築は驚いた。「野呂さん、その人のことを知ってるんですか」

「うん。リヤカー引っ張って、空き缶とか古新聞を集めてるじいさんなんですよ。そうだよね、お兄ちゃん」

はいと、若者も大きくうなずいた。

「じいさんて言ったって、あたしの方が年上だけどさ」と、野呂はちょっと笑う。

「見かけたことはあるし、うちのお客さんから噂を聞いたこともあるよ。あのへんのマンションや雑居ビルから出る資源ゴミを勝手に持っていっちまうんで、何度かトラブルになってるって」

だけど行方知れずだなんて——と、野呂は顔をしかめた。

「もう一ヵ月になりますよね。朝日荘の大家さんも困ってるんじゃないでしょうか」

「家賃、止まってるだろうからなあ」

ちょっと待ったと、都築は二人のあいだに割り込んだ。「森永君、まださっきの質問に答えてもらってないよ。あんた、猪野さんの身内なのか」

大声を出したわけではないが、森永という若者は首を縮めた。「は、はい。身内の者なんです。だから心配で」

嘘だと、都築は思った。

「そりゃ心配だねえ。でも、どっちにしろここじゃ朝日荘のことはわからないよ」

野呂町内会長は親切だ。

「あそこの家主さんは、確か地元の人じゃないはずだし、今の百人町の町内会長さんも、あそこのレジデンス何とかというでっかいマンションの理事長さんでね、朝日荘みたいな旧い建物のことは知らんでしょう。あたしの知り合いの酒屋がいるから、そこへ行って訊いてごらん」

野呂が道順などを説明してやり、若者は「はい、はい」と忙《せわ》しなく聞き取る。じっと観察している都築の目から逃げていた。

「ありがとうございました」

そして今度は身体《からだ》ごと逃げ出した。引き戸がとん、と閉まる。

「何だろうねえ」と、野呂が呟《つぶや》いた。「リヤカーじいさん、どこ行ったのかなあ」

ど素人《しろうと》が、バレバレの嘘を並べて行方不明の老人を捜している。都築には、そっちの方がもっと気になった。

――まったく、次から次へと。

何なんだよ。嫌な胸騒ぎがする。

2

単純に〈独居老人〉とくくってしまうと見えなくなる大きな要素が、その老人の経済状態だ。千草タエは裕福だった。一瞥《いちべつ》しただけでわかる。

「急にお邪魔してすみません」

掃除の行き届いたリビングに通された。昨日の新年会の話題から始まり、現在はバングラデシュへ赴任しているという商社勤めの一人息子の話、その嫁さんが勝気で困るという愚痴。香り高い玉露をご馳走《ちそう》になりながら、都築はひとしきりタエのおしゃべりの相手をしてから、本題を切り出した。お茶筒ビルのガーゴイル。

「都築さん、野呂さんと一緒に、わざわざ見に行ってくれたんですってね」

「その後、千草さんのほかにも、あのガーゴイルがときどき動くって気づいている人がいるんじゃないかと思いましてね。ちょっとあたってみたら、何人かいたんです」

リビングにある大きなはめ殺しの窓のほぼ中央に、お茶筒ビルの上部が見える。四階から上。屋上の一角に今日もガーゴイルがうずくまっているのが、都築の掌《てのひら》ほどの大きさに見えた。

「今朝も動いてたんですよ」

「どこが変わってますか」

「昨日は、今いるところより一〇センチぐらい左に寄ってたんです」

ここから見えるのはガーゴイルの背面だ。相手が生身の人間であっても、これくらいの距離からそこまで見て取れるかどうか怪しいが、タエは大真面目《おおまじめ》だった。

「野呂さんは、わたしの見間違いだって言ってましたよ。そういうことはよくあるって、都築さんがおっしゃったんでしょ」

「はい。なのに蒸し返すようで申し訳ないんですが、やっぱり少し気になりましてね」

野呂さんにはご内聞に、と言った。

「私の酔狂ですから」

「そんなのはかまいません」

割とあっさり呑《の》んでくれた。

「野呂さんは親切ですけど、商売人だから、現実的じゃないことにはあんまり気を入れてくれないんですよ。だけどわたし、手近にはほかに相談する相手がいないもんだから。ヘルパーさんに言ったって、ボケたと思われるだけですしねえ」

本人から聞き出しても、ガーゴイルにまつわる千草タエの話に、野呂から聞いた以上の新しい要素はなかった。特に続報もない。屋上のぐるりに巡らされた装飾壁に遮られるので、彼女は、今のガーゴイルのまわりに先のガーゴイルの破片が散らばっていることには気づいていなかった。

ただ彼女の、ガーゴイルに変化があった起点の記憶にブレはなかった。先月の四日に大嵐《おおあらし》が来て、その翌日。五日からですよ。あたしが気づいたのは夕方近かったけど。

「野呂さんに相談したときには、あんまりしげしげ見ると、何だか悪いことが起きそうな気がしましてね」

わざとカーテンを閉めたままにしていたこともあるという。

「不吉っていうのかしら。忌《い》まわしい」

「そもそも怪物の像ですからね。あんまり気持ちのいいものじゃない」

タエはうなずくと、掌ほどのサイズに見えるガーゴイルを見つめたまま、言った。

「ただね、このお正月は、少し気分が違いました」

あの像が寂しそうに見えた、という。

「三が日ずっとお天気がよかったから、空は青いし、駅の近くの高層ビルもよく見えて。夜なんか、ライトアップされてるところもあるから、眩《まぶ》しいくらいでした」

そのなかで、お茶筒ビルだけが闇《やみ》に沈んでいた。その屋上に、怪物はうずくまっている。

「あなた独りぼっちなのねって、思いましてねえ」

それは、いくら裕福だろうが優秀な息子がいようが、正月を一人きりで過ごしていた千草タエの孤独の投影だろう。

「そしたらもう、忌まわしさを感じなくなりました。今じゃ朝晩挨拶してますよ。おはよう、おやすみって」

いい話だが、都築には気になることがある。「そうすると千草さんは、夜、あの像を見たことはないんですね」

「はい。陽が暮れると遮光カーテンも閉めちゃいますし」

開けておくと、周辺にあるビルやマンションの窓から丸見えになるからだ、という。

「どっかから見られてて、おばあさんの一人暮らしだってわかったら、物騒でしょう」

「そうですね。防犯上からも、プライバシーを守るためにもいいことです。でも、まったく見てませんか。一度も？」

答えるかわりに、タエは訊いた。「見てみた方がいいんですか。都築さんの捜査の足しになるんなら、お手伝いしますけど」

「いえいえ、これは捜査なんて大げさなもんじゃありません。ただ、あいつが実際に身動きできるもんならば、昼間より、闇にまぎれる夜中の方が大胆になるんじゃないかと思いましてね」

あの怪物が背中の翼を広げ、死神の大鎌《おおがま》を手に立ち上がる。一瞬、都築の脳裏にそんな奔放な想像が走った。

「そうねえ。わかりました、だったら遅い時間がいいんですよね。真夜中とか」

「そうなりますが、お願いできますか」

「お引き受けします。目覚まし時計をかけておいて、起きますよ」

張り切っている。やっぱり普段の生活は単調なのだろう。ちょっとでも変化があると楽しいのだ。

都築が辞去するときになって、タエはふと思い出したような顔になった。

「そういえば、リヤカーさんがいなくなっちゃってるんですって?」

昨日、新年会の場で起こった話だ。森永という学生風の男が訪ねてきた一件である。猪野幸三郎という行方不明の老人を、野呂は〈リヤカーじいさん〉と呼んでいたが、タエには〈リヤカーさん〉らしい。

「ええ。事情ははっきりしないんですが、昨日、お耳に入ってましたか」

「あとで野呂さんに聞いたんです」

「千草さんは、その猪野という人と面識があったわけじゃないんでしょう?」

「たまに見かけるぐらいでしたけどね。でも、あの人も一人暮らしだったんでしょう。ふっつり消えちゃってそれっきりだなんて、他人事《ひとごと》じゃありません」

タエの真剣な口調に、都築はふと切なくなった。

「千草さんは、何も不安がることなんかありませんよ。地元の人たちと親しいんだし、野呂さんもいる。何なら私の連絡先もお教えしておきましょう。ガーゴイルのこともありますから」

わたしにはこっちの方が便利だからと、タエはいそいそと携帯電話を持ってきた。お互いに老眼鏡をかけて赤外線通信を行う。

「わたし、こういうことめったにないんですよ。これで都築さんとメル友ですね」

素直に嬉しそうだった。

都築はいったん自宅に帰り、足を休めながらパソコンに向かった。

あれから、ガーゴイルの目撃情報を書き込んでいた人びとに、メールや掲示板を通して呼びかけている。

〈私は問題のビルの近所に住む者ですが　もともと怪談や都市伝説に興味があり　独自に収集しております　どなたか　もう少し詳しい目撃談を教えてくださらないでしょうか　できれば　直にお目にかかりたいのですが〉

まったく反応がないことまで含めて、リアクションは様々だった。〈わざわざ話すほどのことじゃないですよ〉〈実はあれを見たのは友達です　すみません〉〈職場の噂で聞いただけです〉

飛びついてくるという風ではない。それだけ常識人たちなのだと解釈することもできる。一方で、都築がそんなことを書いたわけではないのに、〈あなたはライターですか〉〈もしかしたら都市伝説研究家の◯◯さんじゃないの？〉などと、そそっかしい向きもあった。〈話を聞かせてあげたら謝礼をくれますか〉というのもあり、これは印象からしてどうやら中学生ぐらいの子供であるらしいので、せちがらいというよりは抜け目ない。

ぜんたいに、みんな腰が引けていた。大した話じゃないのに何を騒いでるんだこの人は、という空気もあろうし、都築の呼びかけが丁重だったので、かえって警戒されたところもあるかもしれない。まったく、顔の見えない相手とのやりとりは難しい。

今日も目ぼしい反応はなかった。刑事・都築茂典が現役を退いた当時は、インターネットは既に盛んだったけれど、現状ほどブログだのプロフだのツイッターだのが入り乱れていたわけではなかった。直接、サイバー関係の事件を扱ったこともない。ただ仄聞《そくぶん》するに、ネット世界は違法ドラッグ販売や児童ポルノ取引の温床だという。そういう輩《やから》は、いったいどうやって見ず知らずの取引相手とのあいだに信頼関係を築きあげるのだろう。蛇《じゃ》の道は蛇《へび》と言うしかないか。

仕方がない。地取《じど》りを始めるか——と時計を見たら、昼時だった。もうあの男も起きているだろうと、受話器を持ち上げる。

番号はまだ空《そら》で覚えていた。呼び出し音が三度鳴って、喩《たと》えはおかしいが仏頂面《ぶつちょうづら》の声が応答した。

「はいはい、何の御用」

「久しぶりだね、山チョウさん」

相手はちょっと沈黙し、それからいくらか愛想のいい声を出した。「——もしかして都築さんかい？」

「覚えててくれたんだな」

「そりゃ忘れないよ。あたしの命の恩人なんだから」

相変わらず大げさだ。

「変わりないかね」

「ああ、そこそこやってるよ。都築さんはどうなの。関節炎は治ったかい？」

この男と付き合いがあった当時、都築は自分の足の痺れや痛みを、勝手に関節炎だと称していた。

「それが、いよいよ手術しなくちゃならなくなってさ」

「え？　そりゃ大変だ。いつ？」

「今月の二十日過ぎになるかな」

「入院したら教えてよ。花ぐらい贈るさ。それとも果物籠《かご》の方がいいかい？」

「ありがとう。考えとくよ」

山辺長一《やまべちょういち》、通称〈山チョウ〉。都築と同年代の、ベテランの鍵師《かぎし》である。杉並区にある自宅の一角を改装して店舗にしているが、六十を過ぎてからはそっちの営業は弟子に任せ、自分はもっぱら古い錠前の収集と研究にいそしんでいる。鍵屋をやっていると、客は時間を選ばない。休日も祝日もない。深夜に叩《たた》き起こされて徹夜になることもある商売だから、大酒飲みがたたって肝硬変を患《わずら》っている山チョウには、もう身に応《こた》えて辛いのだそうだ。

それともうひとつ、山チョウには裏の顔があった。本日の都築の用件もそちらだ。

「実はね、山チョウさん。ひとつ頼みがあるんだよ」

ほいきたと、相手は笑った。「どこを開けりゃいいんだい？　また上の人には内緒なんだろ」

おやおや。本人の言う〈鍵師道〉に邁進《まいしん》している山チョウは、時間が停まった世界に住んでいるらしい。

「俺はとっくに退官したよ」

山チョウは声をあげて驚いた。「ホントかい？　嫌だねえ、都築さん、そんなじいさんだったか」

「あんたより二つ年上なだけだ。世間じゃ二人ともじいさんだろ」

「ンじゃあ、今は無職なのか」

「ああ。暇なもんだから、酔狂でちょっと調べ事をしていてね。で、ある場所に出入りするための合鍵が要るんだよ」

山チョウは、こうした内密の依頼を引き受けてくれる重宝な鍵師だった。捜索令状が取れない場所や、都築を始め現場の刑事の勘で（怪しい）と感じるだけで、ほかに捜索の根拠のない場所。山チョウはどんなロックでも錠前でも開けてくれたし、合鍵も作ってくれた。

今後のためには、お茶筒ビルに自由に出入りできるようにしておいた方がいい。山チョウに頼もう。実はビルの探索を終えて相沢青年と別れたときから、都築はそう考えていた。

「ビルの通用口の鍵なんだ。開けるところを見ていたら、ほら何ていうんだっけ、新型の鍵。まち針の頭ぐらいの小さい丸がぽつぽつ開いてるタイプの」

「ああ、ディンプル・キーね。それだけ？　ＩＤ認証や警報装置はないのかい」

「昔はあったんだろうが、今は廃ビルだからな。面倒なものはないよ」

「じゃあお安い御用だ。場所は？」

「西新宿だよ。いつ取りかかる？」

「今夜、行かれるよ。目的の場所の地図と見取り図さえくれれば、あたし一人でいい」

これが山チョウのやり方だった。いつも単独で作業する。それが可能なら夜中の方がいい。集中力が上がるのだそうだ。

「あんた一人じゃ、万が一見つかった場合が厄介だ。俺も一緒に行く」

「都築さんがいた方が厄介だよ。あたしだけなら何とでも言い訳が立つからね。なにしろ錠前研究家なんだから、フィールドワークだって言えばいい」

都築は笑った。まったく、山チョウは変わらない。

「合鍵はいくつ要る？」

「ひとつでいい。受け渡しは――山チョウさんには、俺が引っ越したことを言ってなかったよな」

「引っ越したの？　じゃ、新しい住所も教えてよ。全部ファクスでいいからさ。よっぽど手強《てごわ》い相手じゃなかったら、明日の朝にはそこのポストに鍵を入れとく」

ロックや錠前を、山チョウは常に〈相手〉と呼ぶのだ。

「廃ビルだから、電気もきてなくて真っ暗だ。用心してくれよ」

「了解、了解」

「手間賃は？」

「鍵と一緒に請求書を出すよ」

てきぱきと話をまとめ、

「奥さん、変わりないかい」

「おかげさまで俺よりよっぽど元気だ」

「うちの山の神もさ。女ってのは、みんなああなのかね？　歳《とし》をくうほど右肩あがりにぴんぴんしやがって」

「そりゃ、俺たちジジイどもの元気を喰ってるからだ」

「ハハ、違いねえ」

久しぶりに愉快な気分になって電話を切ると、当の女房、俊子がこっちを見ていた。

「お昼ですよ」

そういえば蕎麦《そば》の匂《にお》いがする。

「あなた、このごろ何をやってるんですか。妙にイキイキしちゃって」

「そうかぁ？　手術の目処《めど》がついたんで、苛々しなくなったからだろう」

昼飯を済ませると、都築は杖を手に小さな鞄《かばん》を肩から提げて、まずお茶筒ビルに向かった。山チョウが今夜来るのなら、下見しておこう。

ビルの裏手の細道にまわる。成型椅子《いす》を積み上げ、縛りつけたバリケードは今日も健在だったが、

――動かされてる。

そこのコンクリートの地面に、うっすらと痕《あと》がついている。誰かが、この頑丈な成型椅子の塊を押したか引いたかしたのだ。

都築たちがこの前に来たときには、体格のいい相沢青年でも、ちょっと揺さぶってみて「動かないや」と驚いていた。誰であれ、その後こいつを動かそうとした人物は、もっとしつこく奮闘したから、痕跡《こんせき》が残ってしまったのだ。

都築はお茶筒ビルを仰いだ。変わった様子はない。業者が入ってゴンドラを吊《つ》るし、窓ガラスを拭《ふ》いているなんてことも、もちろんない。今日も無人でさびれている。近づいて通用口を検分してみると、鍵はしっかりかかっていたし、ドアはあれからまた埃《ほこり》や粉塵《ふんじん》で薄汚れていた。

都築は慎重にビルの周囲を点検した。正面入口もがっちり閉ざされている。だが、チェーン錠の輪と輪のあいだに張っていた蜘蛛《くも》の巣が、部分的に消えていた。誰か触ったのだ。

しばらくのあいだ、都築は腕組みをして考えた。それからビルのぐるりを囲む低いコンクリート・ブロックの端に腰掛けて、山チョウのために地図と見取り図を描いた。

〈最近、未詳の人物が立ち回った形跡あり。作業の際には注意されたし〉

図の隅に書き留めた。

近くのコンビニからファクスを送り、ちょうどいいからここを起点に、時計回りで地取りを始めることにした。円を描きながら、その円をだんだん大きくしていく。一人でやるんだから、それがいちばん効率的だろう。

都築も今や地元の住人だから、近隣の商売屋の店主とは顔見知りなことが多い。そういう人たちには、「医者に散歩しろって言われたもんだから」と言い、ついでにちょっとだべって、話をお茶筒ビルの方に持っていく。いつまでも空きビルで物騒ですなあ。何か店でも入ってくれりゃいいのに。この不景気じゃ無理だよ、都築さん。

このへんの雑居ビルに入っている店舗は水商売が多いから、昼間はまだ閉まっている。開いているのは美容院やよろずのクリニック、十五分で肩こり解消サービスをする健全なマッサージ屋などだ。そういうところは地元とは縁が浅いし、窓を塞いでしまっている場合もあるので、目撃情報は期待薄だし、事実そうだった。最近また、あそこのお茶筒型のビルに泥棒が入ったんですが、こちらでは何か不審なことはありませんか。私は町内会の防犯担当なんです。そうですかご苦労さま、でもうちは関係ないです。

オフィスビルには守衛がいるし、マンションには管理人がいる。同じように防犯担当を標榜《ひょうぼう》して訪ねてみたが、こっちも収穫はなかった。あるマンションの管理人には、住人から苦情の類《たぐ》いは出ていませんかと訊いたら、町内会にそんなことまで口出しされる謂《い》われはないと怒られてしまった。

警察手帳は便利だったなあ、と思う。〈警察官という職業〉ではなく、手帳の有り難みの方を重く感じるのは、それだけ現役から遠ざかったからだろう。

ときどき立ち止まっては休み休み、都築は歩いた。円の二周目の端っこで、「都築さん」と声をかけられた。マンションの隙間《すきま》にある花屋〈フローリスト山田〉の店先で、エプロンをかけた女性が会釈《えしやく》している。

「いつもお世話さまです」

この山田さんは確か、輪番の班長の一人だ。

「先日はどうも」と、都築も会釈を返した。

「お出かけですか」

「ええ、ちょっと散歩に」

「もしかして、リヤカーおじいさんを捜してるとかじゃないんですか」

率直な問いかけに、都築は驚いた。

「猪野さんって、百人町のアパートの人ですよね」

〈フローリスト山田〉はうなずく。「ずっと行方がわからないんですってね」

「新年会のときに、身内だっていう若い男が消息を尋ねてきたんですよ」

「なんか、そんな話だったそうですね」

「おたくは猪野さんとお知り合いですか」

まわりを憚《はばか》る目つきになり、〈フローリスト山田〉は都築に近づいてきた。

「本当はね、区の資源ゴミ回収に出さなくちゃならないんですけど、あのおじいさん、まめに回ってきてくれるんでね。あの人はあれで食べてたんだし、つい……」

花屋では、毎日山のような段ボールが出る。なるほど。

猪野幸三郎も独居老人だったけれど、資源ゴミ集めの仕事を通して、いくらかは地域と繋《つな》がっていたのだ。

「あの人ねえ、あんなふうに暮らしてるけど実は小金《こがね》貯めてるんだって噂もあって」

「ははぁ」

「だから、悪い奴《やつ》に狙《ねら》われたんじゃないかしらね」

確かに、そっちはそっちで都築も気になる。

「ただ、身体は弱ってましたしね。何て言うのかしら、こっちの方も心許《こころもと》なくなってきてて」

〈フローリスト山田〉はこめかみを軽く指さした。

「ずっと一人でぶつぶつ呟いてたり、ありもしないものを見ちゃったり、変なこと言ったり。あれはもう一人暮らしは無理じゃないかなって、うちの亭主なんか心配してました」

「変なことというのは」

「何だかねえ、夢みたいなことですよ。妙に興奮しちゃってね。そのときは、奥さん、今朝方、怪物みたいに大きな鳥を見たよ、あたしの頭の上を飛んでいったんだよとか」

都築の心臓が、大きくひとつ打った。

〈フローリスト山田〉は笑っている。「あの人、マンションとか雑居ビルの資源ゴミを勝手に持ち出してたんですよ。回収が来る前に持ち出すから、夜中とか夜明け前にリヤカーを引いて回るんです。真っ暗なうちにね。そうするとまあ、暗いからね、いろいろ見間違えとかするんでしょうよ。去年の春先には、その先の交差点に子供の幽霊が出るって騒いでたこともあったし。ちょうど、交通事故があった場所なんです」

幽霊は思い込みか錯覚か幻覚の類いだろう。

だが、怪物みたいに大きな鳥とは。

「それ、いつのことですか」

「あら嫌だ、本気にしないでくださいよ」

「ええ、真に受けてるわけじゃありません。ただちょっと、大きな鳥というのに心当たりがあるんでね」

〈フローリスト山田〉は、都築の方こそ大丈夫かという目つきをした。

「いつでした？　覚えてますか」

「あのぉ……師走《しわす》になってすぐに、台風みたいな天気になったでしょう？」

　その翌朝だ、という。

「お天気になると、猪野さん、すぐリヤカーを引いて出てきたんです。ああいうお天気の後はいろんなものが道端に転がってるから儲《もう》けになるんだって、前にも言ってました」

　都築は鞄からメモ帳を取り出した。日記はつけないが、天気だけは毎日メモしている。現役時代からの習慣だ。

「あの大嵐がきたのは四日の午後からですよ。一晩中大荒れだった」

　一夜明けて午前五時ごろになっておさまり、急速に晴れてきて、気温も上がった。その点でも台風さながらだった。

　——奥さん、今朝方、怪物みたいに大きな鳥を見たよ。

ということは、猪野幸三郎は五日の朝、天候が回復すると、師走の遅い夜明けを待たずに外へ出て、それを目撃したのだろう。そして大いに驚いたから、すぐさま〈フローリスト山田〉で話したのだ。

そしてその日、姿を消した。少なくとも、新年会を訪ねてきた〈森永〉という学生風の男はそう言っていた。

「奥さんは、猪野さんの姿が見えないと気づいてましたか」

「いえ、あの人も、毎日うちに来てたわけじゃないですから」

このごろ来ないね、河岸《かし》を変えたんだろうかというくらいで、猪野幸三郎が行方不明になっていると知ったのは、あの新年会のときだという。

猪野幸三郎がいつ消えたのか、状況はどうだったのか、はっきりさせなければならない。都築は礼もそこそこに歩き出した。

野呂は〈森永〉という学生に、百人町の知り合いの酒屋を教えていた。都築もそばで聞いていたから覚えている。造作《ぞうさ》なく見つけることができた。こぢんまりしたマンションの一階にあるこぎれいな酒屋だった。

店主は若い。三十そこそこだろう。店は歴史があるらしく、レジの後ろの壁には古色を帯びた写真が額装して何枚も飾ってあった。聞けば、店主で四代目だという。おかげで、野呂の紹介だというと話はすぐ通った。

「ああ、来ましたよ、あの学生さん」

「〈森永〉って男は、学生だって言ったんですか」

「何だかもじもじしてるから、こっちもちょっと警戒しちゃってね。今日日、何があるかわからないから」

あなたの身元がわかるものを見せてくださいと言ったら、大学の学生証を出したそうだ。

「猪野さんは母方のお祖父《じい》さんだとか言ってました」

そっちはやっぱり嘘だろう。ただ、偽名を使っていないのは評価していい。

「どんなことを訊かれました？」

「どんなもこんなも、うちはあのじいさんのことはよく知らないんですよ。名前も知らなかった。リヤカーを引っ張って通りかかるのを見かけることがあるくらいで」

「じゃ、資源ゴミをやることもなかった」

「区の決まりを破っちゃうでしょう」

堅苦しく言えば、そうなる。

「あの学生さんは、朝日荘のことを訊いてましたよ。大家さんはどんな人だ、どんなアパートだって、けっこうしつこかったですよ」

「実際、どんなアパートですか。大家さんは地元の人じゃないそうですね」

「でも、ちゃんとした人ですよ」

篤志《とくし》家《か》っていうのかな、と言った。

「ほかに住むところがない独り身の年寄りばっか、無料《ただ》みたいな家賃で住まわせてやってるんです。まあ、あそこは、いっぺん取り壊しちゃうと、建築基準法に引っかかって、もう何も建てられないからだっていうけど」

戦後すぐにできた老朽アパートが残っている理由としては納得できる。

「あの学生さん、猪野さんが行方不明になってること、ラジオで聴いたんだって言ってましたよ」

「ラジオ？」

「この地区のミニＦＭ局があるんですよ。うちでもときどき聴いてます。そこで、猪野さんの行方を知らないかって、情報を求めてる人がいたんだそうです」

「そのＦＭ局、場所をご存じですか」

「わざわざ行かなくても、サイトを見れば、誰が情報を求めてるのかわかりますよ」

親切な店主はレジのパソコンを操作し、サイトを見せてくれた。楽曲のリクエストやメッセージを募るコーナーをさかのぼって、見つけた。〈カドマ珈琲《コーヒー》店〉の門真靖《かどまやすし》。

「ここ、ご近所ですか」

「右に真《ま》っ直《す》ぐ行って最初の角を左に曲がって、二つ目の角を右です」

都築の足は既に限界を超え、痛むのではなく痺《しび》れがすぎて感覚が失《な》くなっていた。なかなか足が持ち上がらない。杖を頼りによろよろと、〈カドマ珈琲店〉の看板を発見するころには、どっぷりと冷汗をかいていた。

それでも、来た甲斐《かい》はあった。チョビ髭《ひげ》を生やし、髪にはポマード、赤いチョッキを着込んだ（いささか時代錯誤的ではあるが）お洒落《しゃれ》なマスターは、やっと椅子に落ち着いて人心地を取り戻した都築に、こう言ったのだ。

「猪野さん、私にも話してくれましたよ。五日の朝、まだ暗いうちだったけど、確かに見たんだそうです。こんなでっかい、真っ黒な鳥が、あの人の頭の上を飛んでいったって」

こんなというところで、大きく両手を広げてみせた。

〈カドマ珈琲店〉のマスターは、都築が知りたかったことをほとんど教えてくれた。

猪野幸三郎は先月五日の夜明け前、前夜の嵐がやむとすぐ資源ゴミ漁《あさ》りに出かけた。そのルート上で〈フローリスト山田〉に立ち寄り、「怪物みたいに大きな鳥を見た」

という話をし、その後、午前六時半に〈カドマ珈琲店〉に現れた。

「毎朝、きっちり六時半に来るんですよ」

猪野老人は、〈カドマ珈琲店〉の常連客だったのだ。店の開店は午前七時だが、他の客たちが老人の風体《ふうてい》を厭《いと》うし、猪野幸三郎の方もそれが面倒なのか、開店前に来て、モーニングセットを包んでもらって持ち帰るのが習慣だった。老人が店内で飲食したことは一度もない。

門真靖、マスターの記憶でも、五日の朝の猪野老人は妙に興奮していたそうだ。

「変なものを見たんだって、挨拶《あいさつ》もそこそこにしゃべってましたからね」

〈フローリスト山田〉と同じく、マスターも、しばらく前から猪野老人の言動に多少の不安を覚えていたから、その言《げん》にまともに取り合うことはなかった。前日の風雨のせいで湿ったままの衣類を重ね着している老人が風邪をひくのではないかと、タオルを渡したり、店内のストーブにあたっていくよう勧めた。

老人は店内には入らなかった。寒そうではあったけれど、むしろ意気《いき》軒昂《けんこう》で、

「起き抜けからあんな珍しいものを見たんだから、今日はいい日だ、びっくりするような儲けが転がってるかもしれないって、リヤカーを引っ張って出かけて行きました。私もまあ、ほどほどに励んでくださいよなんて、いつものように送り出したんです」

で、それっきりになってしまった。以来、猪野老人は〈カドマ珈琲店〉に来ていない。

「六日の朝に顔を見せなかったときには、やっぱり風邪をひいて寝込んでるんじゃないかと思ったんですよ。でもね」

午後二時過ぎに、常連客のサラリーマンが、「マスター、二丁目の交差点のそばの空き地に、よく段ボールをもらいに来てるじいさんのリヤカーが置きっぱなしになってるよって教えてくれましてね」

驚いたマスターが現場に行ってみると、確かに猪野老人のリヤカーだ。段ボールや空き缶や古紙を満載したままの状態だった。

最初は、老人が巡査にでも捕まったのかと思った。「でも、警察ならリヤカーも没収っていうか押収《おうしゅう》っていうか、その場に置き去りにはしないですよねえ」

当時、マスターは猪野老人の自宅を知らなかった。本人から、近くのアパートで一人暮らしをしていると聞いてはいたが、

「ホントはホームレスなんじゃないかなと」

半信半疑に思っていたという。

捜すあては、まったくない。件《くだん》の空き地は猫の額のようなところだが、仕切りのロ

ープが張ってあるわけでもなく、ゴミが捨てられて荒れている。リヤカーを置いておいても、すぐには問題にならないだろう。

「でも、何だか胸騒ぎがしましてねえ」

あのリヤカーは猪野老人の財産だ。道端に放り出してどこかへ行ってしまうなんておかしい。

それで思いついたのが、ミニFM局に頼むことだった。

「あそこに頼んでおけば、猪野さんがどっかに保護されてるとか、救急病院に入ってるとかなら、きっと誰かが聴いて報《しら》せてくれるだろうと思ったんでね」

いい判断だった。下手にあちこち捜し回るより、よほど効率的だ。

「五日の朝に会ったきり、消息がわかりません、どなたかご存じないですかって。そしたら、三日ぐらい経《た》ってからかなあ。あの〈朝日荘〉で猪野さんの隣の部屋に住んでるって人から、情報が来ましてね。猪野さんはアパートにも帰ってきてませんよって。それで私は初めて、あら猪野さんにはホントに住処《すみか》があったんだって知ったんだけど」

その隣人はラジオを聴いて心配になり、ベランダ越しに猪野老人の居室を覗《のぞ》いてみたという。

「一階だし、カーテンも開けっ放しだったから丸見えなんだそうで」

室内には家具らしい家具はなく、テレビと布団《ふとん》とちゃぶ台にいくつかの食器。荒らされた様子はなく、窓もドアもきちんと鍵がかかっていたという。

「そこまでなんです」

以来、それ以上は何もわからないというだけの膠着《こうちゃく》状態だった。年末になって、あの〈森永〉という男が訪ねてくるまでは。

「いつだったかなあ。クリスマスツリーは片付けてあったから、二十六日か二十七日か、そんなあたりですよ。十時頃だったかな。ミニＦＭ局のサイトを見たんですって、のっけから猪野さんの話でした」

あいにく、〈森永〉も情報を持っているのではなく、情報を求めている側だった。

「私には、自分の知ってることを教えてあげるしかないですからね。そしたらあの人、ちょっと近所を回って聞き込んでみます、〈朝日荘〉にも行ってみますって」

その動き方には不自然なところはない。猪野幸三郎の消息を求めて、まずカドマ珈琲店。それから朝日荘と、周辺の聞き込み。おそらくはこれという収穫がなく、聞き込みは継続。年明け四日になって掲示板の新年会の案内を見かけ、飛び込みで情報収集しようとした。〈森永〉が朝日荘の大家を探していたのは、猪野老人の部屋に入りたかったからだろう。それには大家の許可が要る。

マスターとの話で、ひとつ面白いことがわかった。カドマ珈琲店では、〈森永〉はナリタと名乗っていたという。

「猪野さんの母方の孫だって。何だ、ナリタって偽名だったんですか」

マスターが身分を証明するものを要求しなかったので、そこではそのまま通った。だが〈森水〉本人の言う聞き込み中のどこかで、偽名がバレたり都合が悪くなったりして、結局は本名を名乗ることにしたのだろう。これまた素人らしいちぐはぐなミスだ。

――何者なんだろう。

本当に猪野老人の身内で、行方を心配しているだけだとは考えにくい。それにしては捜し始めるタイミングが遅いし、やり方が唐突だ。マスターが、あなたお身内なら警察に猪野さんの捜索願を出してあげてくださいよと言うと、届けなんか出しても捜してもらえませんよと、逃げ腰だったという。

――じいさんとどう繋がるんだ。

猪野幸三郎はなぜ姿を消したのか。老人の身に何が起こり、今どこにいるのか。資源ゴミを回収してほそぼそと暮らしていた独り身の老人のどこに、行方不明になる危険性が潜在していたのか。〈フローリスト山田〉では、老人が実は小金を貯めていたと話していた。もっとも現実的な不安材料はそれだろう。だが――

怪物のように大きな鳥を見た。

現役のころから、都築にはいろいろと考え過ぎる癖があった。よく指摘されたし、自覚もある。だが、その〈考え過ぎ〉の方向はあくまでも現実に根をおろしたものであり、想像ではあっても空想ではない。

それでも、どうしても考えてしまう。

猪野幸三郎は大きな鳥が頭上を飛んでいくのを目撃した。その翌日、忽然《こつぜん》と姿を消した。あたかも、地上から空に掠《さら》われてしまったかのように。

リヤカーが発見されたのは六日の午後だが、猪野老人がリヤカーのそばを離れたのはもっと以前だろう。ただ、五日のうちとは考えにくい。それならリヤカーも五日に見つかっていたろうから。

老人のアパートの部屋は戸締まりされ、カーテンが開いていたという。ならば、六日の朝には猪野幸三郎は普通に起きて、夜も明け遣《や》らぬうちにリヤカーを引いて出発したのだ。そして、町がまだ完全に目覚めないうちに、地上にはまだ夜が残っているうちに、二丁目の空き地のあたりで消えた。

夜にこだわるのは、あれはそういう怪物だからだ。闇にまぎれる方が大胆に動ける。

ガーゴイルがうずくまるお茶筒ビルから、リヤカーが残されていた空き地まで、直線距離なら五〇〇メートルほどだ。

大きな鳥なら、ひとっ飛びだ。


何かが唸《うな》るような音をたてている。

びくりとして、都築は目を覚ました。枕《まくら》の脇《わき》に置いた携帯電話が、着信ライトを点滅させながら振動しているのだ。液晶画面には〈千草タエ〉と表示されている。

午前三時二十二分。並んだ数字が目に飛び込んできた。都築は電話に出た。

「千草さんですか？　どうしました」

何かががさがさ動いているような雑音が聞こえてくる。都築は布団の上で起き直った。隣の布団では俊子が熟睡していて、ぴくりとも動かない。

「もしもし？　千草さん、都築です。何かあったんですか」

呼びかけるうちに、がさがさする雑音は、乱れた呼気なのだとわかった。

「ご、ごめんなさい」

タエの声だ。都築は思わずその場に片手をついてしまうほどホッとした。

「こんな時間に、ごめんなさい」

泣き声になっている。

「私の方こそ申し訳ない。本当に、こんな時間に起きてくれたんですね。寒いでしょう。気分は大丈夫ですか」

タエは呼気を乱したまま返事をしない。

「千草さん、息が苦しそうですね。具合が悪いんですか」

ここから救急車を呼ばねばならないか。

そのとき、タエが呻《うめ》くように言った。

「――怖いんです」

都築は戸惑った。隣で俊子が寝返りを打つ。

「怖いんです。怖くて、カーテンを開けられないんです」

千草タエはすすり泣いていた。

「わたしが、あれを見ようとしてること、あれも気づいてるみたいなんですよ。きっとそうなんです」

いったい何を言ってるんだ？

「――大丈夫ですか」

「あれは、わたしに見られたくないんです」

都築はまだ目が覚めきっていないような気がしてきた。これは夢か？

「千草さん、あれってのは、あの怪物のことですよね？　お茶筒ビルのガーゴイル」

電話の向こうが沈黙した。

「千草さん？」

「今、あれが窓の外にいます」

気配を感じるんです、と囁《ささや》く。上ずったような囁きに、都築は寒気を覚えた。

「ごめんなさい。わたし怖くって、今夜は無理です。外を見られません。このままじっと隠れています」

こりゃ、いかん。「千草さん、あのね、そんなことは――」

もう一度「ごめんなさい」と言って、電話は切れてしまった。

それから一時間ぐらいのあいだ、横になったまま眠れずに、都築はいろいろ考えた。

その〈いろいろ〉のなかには、多くの反省点が含まれていた。

ひとり閉じこもって生活し、浮世離れしてしまっている千草タエを、少し刺激しすぎた。都築のある種の浮かれ気分――その表現が不穏当なら〈非日常の気分〉とでも言おうか——を、タエに感染《うつ》してしまったらしい。

脊柱管狭窄《せきちゅうかんきょうさく》症の診断を受けてからこっち、都築の毎日は我慢に染めあげられていた。病室が空《あ》くまで待つ。手術を受けられるときまで待つ。我慢は辛《つら》く、退屈だった。

だから、その退屈から自分を引っ張り出す材料を見つけて、つい熱が入っているのだ。作り物の怪物が動く？　そんな莫迦《ばか》な。調べてみれば理由が見つかるはずだ——

別段、ミステリアスなガーゴイルなんかでなくても、何でもいいのかもしれない。現役のころのように歩いて、調べて、考えることができるならば。俊子にも言われたではないか。活《い》き活きしちゃって、と。

難しい顔をしてメモを睨《にら》み、考え込んではいるけれど、都築は今、実は楽しんでいる。それは自由だが、何にどう入れあげるにしろ、一人でやるべきことで、他人を巻き込んではいけない。

明日、早々にタエを訪ねて謝ろう。諄々《じゅんじゅん》と宥《なだ》めて、彼女の静かな日常のなかに戻してやらなくては。

結局、途切れ途切れにうつらうつらしているうちに朝になり、俊子より先に起き出して、都築は新聞受けに朝刊を取りに行った。広告とチラシをたっぷり含んだ分厚い朝刊のあいだに、封筒がひとつ挟まっていた。

山チョウだ。何時《なんじ》に来たんだろう。都築が目覚めているときだったらよかったのに。

——手強い相手ではなかったか。

ぴかぴかのディンプル・キーが一本と、請求書。都築が送ったファクスも一緒に返却されている。山チョウのこういう几帳面《きちょうめん》さも変わらない。

そこに、メモがくっついていた。

〈作業開始・午前二時十五分　作業終了・午前四時五分　確かに真っ暗だった〉

行替えをし、躊躇《ためら》ったみたいに空白を空けてから、走り書きでこう続く。

〈作業してるあいだ　何度か頭の上で妙な音がした　夜中なのに　でっかい鳥が羽ばたいてるみたいな音だ　何も見なかったし　未詳の人物にも会わなかった　未詳の人物は鳥じゃないよな？〉

都築の足元に、朝刊がどさりと落ちた。

3

「連絡がとれないってどういうことですか」

思わず、語気が鋭くなってしまった。孝太《こうた》郎《ろう》の前で、真《ま》岐《き》と学校島の成田《なりた》島長《とうちょう》が顔を見合わせる。

一月六日、午前九時十分。孝太郎の新年バイト始めだ。本当は四日からシフトに入りたかったから、腕がウズウズしている。大学はまだ冬休みだ。今日はまる一日働くつもりだった。

なのに、席に着くなり真岐に呼ばれて、そこへ成田もやってきて——

「いつからなんです？　森永さん、いつから行方がわからなくなってるんですか」

成田が宥めるように苦笑した。「おいおい、気が早すぎるよ。まだ行方不明とは限らないんだから」

成田は元高校教師で、年齢も四十を過ぎている。クマーのなかでも異色の転職系社員だが、仕事はできるし人柄もよく、真岐の評価は高い。が、今の孝太郎にはそんなことは関係ない。

「何を呑気《のんき》なこと言ってんですか。成田さんだって、森永さんが何をしてたのか知ってるでしょ？　まさに行方不明事件を調べてたんですよ。それも複数の失踪《しっそう》事件ですよ。その最中に、今度は本人と連絡がとれなくなったんだったら、そっちも行方不明だって考えるのが自然でしょう！」

真岐と成田はまた顔を見合わせた。今度は、さっきよりも不安げに見える。

「コウダッシュ、ちょっと落ち着け」

声がデカいよと、痛そうな顔で言う。確かに、まわりの社員たちからちらちらと不安げな視線が飛んでくる。

「森永からは報告をもらってたんだ」

成田が手にしたスマートフォンをちょっと掲げてみせた。

「私も君と同じで、あいつ一人で動き回るのはあんまり感心した話じゃないと思ったから、まめに連絡を寄越すように言っておいたもんだから」

メールが多かったが、電話してくることもあったそうだ。森永さん、オレは〈保険〉にしただけで、成田島長にはそんなこととしてたのか。

「素人《しろうと》のやることだから、そう上手《うま》くはいかないよ。最初の手がかりだっていう喫茶店に行ってみたら、二十四・二十五日は休みだって。〈朝日荘〉っていうアパートは、ごめんくださいって百回ぐらい声をかけても誰も応じてくれない。ドラマみたいにすいすいとはいきませんねと笑ってた」

森永は他のホームレス失踪事件の現場周辺にも足を運んだが、そちらもそちらで、現実は頭で考えるよりも厳しかった。

「ホームレスに話しかけて、まともに返事をもらうことがまず難しいってね」

あなたのお仲間が最近姿を消してますよね、なんて物騒なことを話題にしようというのだから、なおさらである。

「結局、年内はこれという収穫もなし。あいつも元日と二日は実家で過ごすからって、夜行バスで帰省したんだよ」

三日の昼過ぎに東京に戻ってきて、猪野老人と〈朝日荘〉の周辺をまたぐるぐるすることを再開。他所者《よそ》が行き当たりばったりに聞き込めるところなどたかが知れているし、下手に踏み込めば途端に警戒されるしで、

「現実を甘く見てましたっていうから、だったら調査なんかやめにしろって言ってやったんだけど」

成田は少し言い訳がましいような目になって、真岐を見た。「森永のヤツ、妙に頑固だったんですよ。気が済むまでやらせてくださいって」

「ま、ああいうおとなしい若者にも、いろいろあらぁな」

真岐は思わせぶりな台詞《せりふ》を吐いた。もしかしたら、森永から彼の子供時代の経験を聞いているのかもしれない。

「そういう状況で、今現在、あいつからもらったラストの連絡が、一昨日《おととい》、四日の午後九時三十四分受信のこのメール」

成田がスマホの画面を見せてくれた。

〈少し気になることがあるので　今日は夜間調査を実行してみます〉

孝太郎はその文面を二度読み返した。

「このメールを発信したあと、どっかへ行ったってことになりますね」

成田はうなずく。真岐は顔をしかめている。

「どこへ行くんだって返信したけど、返事がなかった。こっちもそれこそ気になったから、その夜のうちに何度か電話してみたんだが、まったく繋がらなくなった。電源を切ってあるのかもしれない」

以来、ずっとそうだという。

「森永さんのアパートは」

「いない。戸締まりはちゃんとしてあった」

「実家のご両親は何かご存じでしょうか」

「昨日の夕方、連絡してみた」と、真岐が答えた。「まる一日、本人と連絡がとれなかったからな」

先方は驚いていたという。正月、帰省してきた森永に変わった様子はなかった。よく食べよく飲んでにぎやかに過ごし、大学もバイトも忙しいが面白いと言って、東京へ戻っていったそうだ。

「捜索願を出すんですか」

「今日もう一日待ってみて、状況に変化がなかったら」

「その場合、事情は全部話すんですよね？　森永さんの〈調査〉も、ホームレスが消えてるってことも」

「もちろんだ」

「オレ、いつでも呼んでください。森永さんが言ってたこと、ちゃんと覚えてますから。あの人がすごく真剣だったってことも、きっちり説明できます」

　わかったわかったというふうに、真岐は忙《せわ》しなくうなずいた。

「森永から君のところに連絡は？」と、成田に訊《き》かれた。

「ありません。島長に報告するのが筋だって思ったんじゃないですかね」

「いや、別に報告だけじゃなくって、君は友達なんだから、無駄話でもさ」

　言って、おやという顔をした。

「そういえば――」

　スマホをいじって、何か探している。その手が止まった。「これだ」

　また、孝太郎にスマホを差し出す。真岐も横から覗《のぞ》き込む。

「あいつは私にも、こまごまと具体的なことを報告してきたわけじゃないんだよ。今日はどこへ行ってきたとか、その程度だ。でも、これはちょっと別で」

写真が添付されたメールである。発信されたのは先月、十二月三十日の午後三時三分。

「これを送って寄越すと、すぐ追っかけて電話をかけてきてね」

——面白いでしょう。島長、これ何に見えますか？

「何って、これ、絵だろ」

「子供の描いた絵ですね」

真岐と孝太郎はうなずき合った。

一見して幼い子供の手だとわかる、つたない描き方だ。画用紙に、クレヨンを使っているのだろう。画面いっぱいに灰色の大きな鳥が描かれている。パソコン並みの解像度があるスマホの画面だから、幼い作者の手がぶれて線が歪《ゆが》んでいるところまではっきり見える。

「鳥の絵だろ？」

目を上げた真岐に、成田は笑いかける。

「それにしちゃおかしな点がありませんか」

孝太郎は言った。「翼があるから鳥みたいだけど、脚の形は人間ですね」

「そう。それと、顔は描いてないからわからないけど、少なくとも嘴《くちばし》はない。その点も、鳥よりは人間寄りだね」

「子供の絵だからなあ。ごちゃ混ぜになってるんだろう」

事実と空想が混じっている。

「森永は、興味深いと言ってました、実際、この絵はなかなかよく描けてますよ」

幻獣の絵ですと、成田は言う。とことん現実ニンゲンの真岐には意味が通じなくて、

「何だ、それ」

「幻の生きもの。都市伝説的に言うと、〈モスマン〉とか、真岐さん知りませんか」

「モスバーガーなら知ってる」

孝太郎はまだスマホの画面を見つめていた。「森永さん、ほかには何も言ってなかったですか」

「何も。君には送ってなかったんだな」

「はい。その画像データ、もらえませんか。もう少しよく見てみたいんです」

孝太郎があまりにも真剣だからだろう、成田は目をしばたたいた。

「いいけど、これはただのトピックだろう。深い意味があるとは思えないけどな」

ともかく、今の段階であんまり慌《あわ》てるなと真岐に釘《くぎ》を刺されて、孝太郎は自分のデスクについた。

仕事に集中するのは難しかった。別のことをしたくなる誘惑に耐えるのも大変だった。気が散ってモニターのなかに入り込めない。目の前を文字の列が流れてゆく。何も読み取れない。異国の言語を見ているようだった。

二時間、何とか頑張った。頑張ったつもりだ。が、顔を上げると真岐がこっちを見ていて、むっつりと孝太郎を手招きする。

「余計なことばっかり考えてるな」

抗弁できなかった。

「森永の言ってたミニＦＭ局へ連絡してみようとか、サイトを検索してみようとか」

「し、してません」

「しなかったな。それは偉い」

監視《ウオッチ》されていたのだ。

「最初に行方不明になったじいさんを捜してたのは、地元の喫茶店の店主だったっけか？　森永も絶対に訪ねてるはずだから行ってみようとか」

俺もナリさんも考えたよ、という。

「昨日、二人で行ってみようかって相談したんだ。でも、やめにした。俺たちがそんなふうにバタバタしたってしょうがない」

　孝太郎には異論がある。「どうしてですか。ちょっとでも早く、森永さんの足跡を追った方がいいんじゃないですか」

「いいや。今は静かに成り行きを見守っていて、どうしてもそれが必要になったなら、捜査も追跡も警察に任せた方がいい」

　そう言って、真岐は少し表情を和らげた。

「なあ、コウダッシュ。これが全部笑い話になるって可能性もあるんだ」

「――でも、現に森永さんは消えて」

「ただ連絡がつかないだけなのかもしれない。ただアパートに帰れない事情ができただけなのかもしれない。それも、あいつの〈調査〉とはまったく別の理由で」

　そんな間の悪い偶然があるもんか。

「学生だけど、森永だって大人の男だ。連絡を絶ってからまだ二日も経ってないんだし」

「まる一日以上は経ってます」

　意固地に言い返した孝太郎に、真岐はため息をついた。

「もういい。帰れ。今のコウダッシュは、パソコン教室でマシンの電源の入れ方を教わったばっかりのじいちゃんばあちゃんより役に立たない」

「そんな。オレ、ちゃんと仕事してました」

「嘘《うそ》をつくな。株が下がるぞ」

こんな言われようは初めてだ。

「家に帰って、頭を冷やせ。いいな？　真っ直ぐ帰るんだぞ。で、俺かナリさんが連絡するまで、いい子でおとなしくしてるんだ。うちの仕事以外にも、面白いことのひとつやふたつはあるだろう。気分転換しろよ」

やっと苦笑して、宥めるように孝太郎の肩を叩《たた》くと、

「お嬢は確か、群馬だか新潟だかにスキーに行ってるんだよな？　今からでも連絡して交ぜてもらえよ」

孝太郎は小声で呟《つぶや》いた。「長野です」

「ん？」

「それに、カナメはスノボしに行ってるんです」

それだけ言って、親に楯《たて》突く子供みたいに肩をそびやかし、真岐に背中を向けた。

今日はノートパソコンを持って出てきてよかった。孝太郎はリュックを肩に、あのコーヒーショップへ行った。森永に、学校裏サイトについてレクチャーしてもらった店だ。

ランチタイムが近づき、店内は混み始めていた。隅っこの空席をひとつ確保してどうにかこうにか座ると、すぐに、隣の四人掛けを占めている若い女性たちの会話が耳に飛び込んできた。

「嫌だねぇ。ずっと地方ばっかりだったから安心してたのに、今度は横浜だって」

「横浜っていうか、戸塚でしょ。ちょっとニュアンス違うよ」

「どっちにしても近いじゃない。あたし武蔵小杉《むさしこすぎ》だもん。怖いなあ」

四人ともファッショナブルに重ね着をしていて、メイクもばっちりだ。この近くにある工芸関係の専門学校の生徒たちだろう。いったい何を怖がっているのか。

孝太郎は、森永が送ってきたという画像データをノートパソコンのモニターに出した。スマホの小さな画面では見落としていたことに、今さらながら気づいた。

この絵、確かに線はあどけなくて拙《つたな》く、いかにも幼い。一見して幼児が描いたものだとわかる。だが、子供の絵って、普通はもっと色彩豊かなものではあるまいか。まさかこの作者の子供が、灰色と黒と深緑色のクレヨンしか持ってなかったなんてことは――

「今までのよりひどくない？」

「ひどいって言ったら最初からひどい」

「ンだけど、今度は膝《ひざ》から下をばっさりだよ。指とはレベルが違《ちが》くない？」

孝太郎はテーブルに片肘《かたひじ》をついたまま固まった。隣の若い女性たちは、顔をしかめ肩をすぼめ、額を寄せ合い、いかにも怖い話をしている風情《ふぜい》だが、しかし興奮している。

慌てて、ネットのニュースラインを見る。孝太郎はまばたきした。トップに表示されている。隣でひそひそ声が続く。

「これで〈指ビル〉じゃなくなるのかな。何て呼べばいいんだろうね」

〈指フェチキラー〉の、第四の犠牲者が発見されたのだ。

「何て呼ぶって、そんなの考えることないよ。人殺しなんだから」

一人の女性が怒ったような口ぶりで言い、他の三人は気まずそうに目を見交わした。

「ま、そうだけどね」

「でも、みんな騒いでるよ」

「あたしはそういうのに乗っかるのは嫌なの。人が殺されてるのに」

「けどさぁ、ネットとかテレビとかで騒いだ方が、早く犯人が見つかるんじゃない？

いつだっけ、ホラ、逃亡してる容疑者が監視カメラに映ってるのを探し出して、ずっと追っかけたことがあるじゃん」

「あったあった！　あれ、はっきり映るんだねえ。ビックリしちゃった」

やりとりを片耳で聞きながら、孝太郎はいくつかのニュースサイトをチェックしていった。四人目の犠牲者は三十代から四十代の女性。死因はまだわからないようだ。身元も不明。遺体は右脚の膝から下が切断されており、戸塚区内のガソリンスタンドのトイレで発見されたという。十分ほど前に飛び込んできたばかりのニュースで、どのサイトでもまだそれ以上の詳細は報じていない。

クマーでも、第四の事件発生に、みんな驚いているだろう。真岐はまた特別編成を組むだろう。広域掲示板を舐《な》めるのは、しんどいけれど、いかにもサイバー・パトロールらしい作業だった。

戻ろうかと、一瞬思った。手伝うことがあるはずだ。それで真岐の勘気も解けるだろう。

でも次の瞬間には、自分で自分にかぶりを振っていた。

〈指フェチキラー〉の情報を追うとき、今まで一度も、思ってもみなかった。被害者の家族や親しい人は、どんな気持ちだろう。身近に行方不明者がいる人たちは、新しい犠牲者が発見されると、どきりとするのじゃないか。そういうことを考えてもみなかった。

今は考えられる。森永の行方がわからないから。〈指フェチキラー〉に比べたら地味な事件だけれど、孝太郎の胸に、抜き差しならない現実の厳しさを教えるには充分な重さがある。

人が消息を絶つ。命を絶たれて遺体で発見される。それはとても、とてもとても恐ろしいことなのだ。今の孝太郎は、森永の身を案じるだけでいっぱいいっぱいだった。

隣の女性たちはにぎやかにおしゃべりしながら席を立った。入れ替わりにサラリーマンの二人組が来た。先輩と後輩らしい。座るなり金の話を始めた。

孝太郎はニュースのサイトを消した。あの子供の絵がモニターの上に戻った。

灰色と黒と、深緑色を少々。色調は暗い。端の方で線がかすれているこの感じは、確かにクレヨンだ。クレヨンの箱を傍らに、画用紙を広げて、子供がお絵かきしている姿が目に浮かぶ。

背中に翼が生えている。でも嘴はない。脚の形は人間だ。だから鳥よりは人間寄りだと成田は言っていたが、人間だと言い切るには欠けているものがある。両腕だ。こいつには、翼があって腕が無い。

さらに、もっと顕著な特徴があった。これによってさらに正体不明感が増してしまうような特徴。

髪が長い。

さっきは気づかなかった。スマホの画面は小さいし、この絵の背景には、〈鳥もどき〉が飛んでいることを表現しようというのか、ざぁっと斜線がひいてある。そこに紛れてしまって目に入らなかったのだろう。

だが、これは髪だ。〈鳥もどき〉の頭部から生えていて、風に吹かれているのか横になびいている。腰まで届くようなロングヘアだ。

それがわかると、もうひとつわかる。この〈鳥もどき〉の顔は描かれていないのではない。描く必要がなかったのだ。こいつは背中を向けているのだ。

孝太郎は目をしばたたいた。となると、腕が描かれてないのも、こいつに腕が無いからじゃなくて、単に腕が見えないポーズをとっているところを描いたからじゃないのか。いやいや、そこまでの画力、この作者にはまだないかな。

こんな幼い線を描く子供が、人間にしろ幻獣にしろ、わざわざ後ろ姿を描くっていうのも引っかかる。子供の描く絵には、その子の精神状態が反映するとかいう話を聞いたことがある。

——こんな恰好《かっこう》の生きもの、どっかにいたかな。

以前、何かのイラストで見たことがあるケンタウロスは、もつれた長い髪を生やしていた。だがあれは脚が四本あって、翼はない。

ペガサス？　はっきり馬だ。馬に翼が生えているだけで、鳥の要素も人間の要素も入っていない。成田は〈モスマン〉とか言っていたけれど、あれは米国の都市伝説に出てくる未確認生物で、蛾《が》と人間が組み合わさったような薄気味悪い形状をしている。

——島長、これ何に見えますか？

「興味深い」と、森永は言っていたという。画像を送りつけただけでなく、すぐ追っかけて電話してきて。

ただのトピック。無駄話。

違う。必ず意味がある。

絵の線の一部を拡大してみたり、白黒反転してみたり逆さまにしてみたり、そうしながら肘をついて考え込んでいて、今さらながらの疑問に身を起こした。

そもそも、この絵はどこにあった？　森永は、どこでこの写真を撮った？

子供の絵が展示される場所は限られる。学校とか保育施設のなか。で、そこに一般人が出入りできるケースも限られる。仮に、どこかで子供の絵の展覧会をしていたのだとしても、その場所もやはり限られる。

孝太郎はパソコンの画面に目を戻した。

さっきからずっと、絵をアップにして見てばかりいた。逆だ。引いて見なくては。この絵のまわりに写り込んでいる材料を探さなくてはいけない。

あいにく孝太郎は、写真の外枠部分だけをトリミングして拡大し、さらにその画像を鮮明化するなどというスキルを持ち合わせていない。こういうときこそ検索だ。ネットの質問箱に問いを投げるのだ。

温《ぬる》いコーヒーを飲んでいると、必要な情報が集まってきた。無料で提供されている画像解析ソフトもダウンロードすることができた。ごく初歩的な機能のソフトだというが、今はそれで充分だ。

画面の上辺、右辺、下辺、左辺。時計まわりに四辺の外側を確認していく。右辺の真ん中に、薄ぼやけた茶色っぽい障害物が見えた。十分の一秒後に気づいた。スマホを持つ森永の指だ。

衣類の一部のようなもの。少し離れたところにいる人物の顎《あご》の先らしきもの。指の一部。それらが絵の外周に写り込んでいる。孝太郎はちょっと混乱してきた。いったい、この絵はどういう状態で展示されていたんだろう。まず額装されてない。壁とかパネルに張られていたのでもない。だって、後ろに人がいるのが見えている。何か透明なシートとか——

ガラスか。

窓ガラスだ。この絵はそこに張られている。ガラスのこちら側からは絵が見えて、ガラスの向こう側からも、こちらの何かが見えるのだ。だから人が立っている。となると、学校ではない。この画像が送られてきたのは去年の十二月三十日。学校にはもう生徒はいない。でも、公共施設だ。区役所？　いや、役所は三十日にはもう閉まっていたかな。区民ホールとか文化センターとか。そういう場所なら、子供の絵の展示なんかもやりそうだ。

専用ソフトで拡大してみると、左辺の外側は右辺側よりも幅が広くなっていた。この絵を撮影するとき、森永は右手でスマホを持ち、右に寄って立っていたのだ。

そこに大きなヒントが写っていた。赤い箱のようなものの一部と、その箱に表示されている——または貼付《ちょうふ》されているらしいポスターみたいなものの一部。〈年賀〉と読めた。

郵便配達のバイクだ。あのバイクの後ろにくっついている赤い荷箱だ。〈年賀〉の文字はおそらく、「年賀状はお早めに」とか「年賀状は二十五日までに投函《とうかん》しましょう」などの文章の一部だ。

郵便局だ！

森永はあちこち歩いていたようだが、振り出しはあくまでも猪野幸三郎の失踪だ。老人の住んでいたアパートのある百人町を含む、西新宿一帯から探してみよう。

検索してみると、郵便局のリストがぱっと表示された。けっこうな数だ。店内はほぼ満員で大いに騒がしいし、孝太郎はいったん外に出た。すぐ近くに、一時間に一本ぐらいしかバスの来ないバス停がある。あそこのベンチを借りよう。

真岐に叱《しか》られて始まった厄日《やくび》だけれど、今日の孝太郎は調査運には恵まれていた。三軒目の郵便局で、電話に出た柔らかい声音の女性職員が教えてくれた。

「はい。先月、うちで子供さんたちの絵を展示していましたよ」

やった！

「すみません、そちらの場所はどこですか」

「西新宿の栄《さかえ》町です」

栄町。地図を呼び出してみると、百人町のすぐ近くだ。

「今はやってないんですよね」

「ええ、別の展示に変わっています」

「そこで展示されていた絵が素晴らしかったんで、もう一度見たいんです。どの学校の生徒さんの作品か知りたいんですけど、教えていただけないですか」

女性職員は口ごもった。「子供さん個人のお名前は」

「ですから学校名だけでいいんです。絵のことは、学校へ直《じか》にお願いしてみますんで」

「あら、学校ではないんですよ」

「は？」

「お気づきになりませんでしたか。『光の家の小さな画家たち』って、展示のタイトルにありましたでしょう」

今度は孝太郎が黙った。

「そちらの子供会の方に、直接お問い合わせいただいた方がいいかと思います」

「わかりました。ありがとうございます」

検索。〈光の家〉。子供会？

画面に表示されたものを見て、孝太郎は「へえ」と声を出した。バス停のそばを通り過ぎる人が怪訝《けげん》そうな目を向けて、孝太郎から距離を置いた。

〈光の家〉は、宗教法人だった。

新宿御苑《ぎょえん》にほど近い、築年数の古そうなマンションが建ち並ぶ町の一角。そのなかでもいちばん古そうなマンションの一階に、〈光の家〉はあった。オフィス兼用の、もとは店舗だったのではないかという造りだ。施設名の表示板も、〈光の家〉固有のものはなく、マンションの入居者を示すパネルに、〈光の家　子供会事務局〉という名称を載せてあるだけだった。

閉鎖的な場所に違いないという孝太郎の思い込みは、あっさり外れた。〈光の家〉の前では、ドアを開けて、五十がらみの大柄の男性が、ジャンパーを着てキャップをかぶった老人と、笑顔で話しているところだった。マンション前の路上には、小型で古風な幌《ほろ》付きトラックが駐《と》めてある。いろいろな野菜が段ボールごと積み込んであった。あの老人は、トラックで行商する八百屋なのだ。

「ンじゃあ、そういうことでな」

老人が軽くキャップに手をあてて踵《きびす》を返し、トラックの運転席に乗り込む。〈光の家〉の前の男性は、老人に声をかける。

「みんな楽しみにしています。皆さんによろしくお伝えください」

あいよ、と応じて、老人はトラックを出した。孝太郎は道の反対側でそれを見送り、トラックが行ってしまうと、〈光の家〉の前に立つ男と、まともに視線が合った。

「こんにちは」

男は気さくに挨拶《あいさつ》を投げてきた。

「学生さん、ご近所の方ですか。明日、ここでみんなで七草粥《ななくさがゆ》の会をするんですよ。よろしかったら来てみてください」

八百屋の老人とは、その打ち合わせをしていたらしい。

孝太郎の胸に、ふわりと触れるものがあった。森永もここを訪ねたろうか。あの絵に意味があったなら、きっと来たはずだ。来て、ここでこの人と話したはずだ。

これは手がかりだ。オレは手がかりをつかんだ。手がかりがオレに声をかけてくれた。

「すみません」

一礼して、孝太郎は道を渡った。

「実は、人を捜してお訪ねしたんです。僕の友人なんですけど、今、行方がわからない状態になってて」

肝心の絵を見せなくてはならない。孝太郎はリュックからノートパソコンを取り出した。

「これ、先月の三十日に、その友人が送ってきた写真なんです。今のところ、本人の行き先に繋《つな》がりそうな手がかりが、これしかありませんで」

「ちょ、ちょっと待ってください」

大柄な男は慌てて孝太郎を押しとどめた。

「立ち話じゃ何だから、お入りください」

「いいんですか？」

「ええ、どうぞ」

まったくフレンドリーだ。今はそれを感謝するべきなのだが、こんなんで、もしも子供を狙《ねら》う変質者とか寄ってきたら大丈夫なのかなと思ってしまうのは、孝太郎が一美という妹を持つ兄貴だからだろう。

広い事務室だった。机や椅子《いす》が並び、キャビネットもあるが、部屋の中央部分は空けてあるので、ちょっとしたイベント的なことは、ここでできそうだ。

ぐるりを見回した目が、壁に張り出されているものをとらえた。ざっと二十点以上ある。色とりどりで、にぎやかで楽しげだ。

そのなかにたった一枚、灰色と黒と、深緑色を少々。

あの絵だ。間違いない。

「ご挨拶が遅れましたが、私はここの責任者です。大場《おおば》と申します」

大柄な男が名刺を差し出している。孝太郎も慌てて自分の学生証を取り出した。

「三島孝太郎君ですか。初めまして」

大場は、大きな身体《からだ》を丸めるようにして頭を下げた。名刺には長い肩書きはなく、「光の家子供会会長　大場雅夫《まさお》」とあるだけだ。

宗教法人〈光の家〉は、仏教系の新々宗教の団体である。ホームページを見る限り、穏当で優しげな雰囲気の団体ではあった。信者――〈光の家友の会〉の会員数は、首都圏で公称三千人。宗教団体としては中規模のものだろう。

「いきなり押しかけて、すみません。子供会のことは、ホームページには詳しく掲載されていなかったので、場所だけ確かめてすぐ来てしまったので」

大場はうなずいた。「うちでは、会の活動状況について、できるだけ情報公開しているんですが、子供たちのこととなると慎重にならざるを得ないんです」

そのへんは孝太郎にも察しがつく。

「よくわかります。ですけど心配しないでください。僕はただ、あそこに貼《は》ってある翼のある人間の絵――鳥人間とでもいうのかな」

孝太郎が壁の絵を指さすと、大場はのしのしとそこに近づいて、まるで絵を守ろうとするかのように、その前に立ちはだかった。

「うちの〈小さな画家たち〉展に出していた作品です。去年の二十日から三十日まで、栄町の郵便局の展示スペースに飾ってあったんですよ」

そして、かすかに眉《まゆ》をひそめる。

「一週間ぐらい前かなあ。君と同年代の学生さんと、今とほとんど同じようなやりとりをしたんですがね。その人が、君のお捜しの友達かな？」

やっぱり来ていた！

「そうだと思います。その学生、名乗りましたか」

「森永君でしょう？」

的中だ。孝太郎は勢いづいた。「森永さんがこちらに伺ったのは、先月の三十日ですよ。この絵を写真に撮って送ってきたのが午後三時ですから、それ以降」

「うん、そう言われてみれば、四時ごろだったかなあ」

郵便局は三十日の午後五時に閉まるので、ここの職員が、その後、展示していた子供たちの絵を持ち帰ってきた。森永はそれを待っていて、現物を直に確かめてから去った。午後七時ぐらいだったという。

「栄町の郵便局は、窓際《まどぎわ》に展示スペースをつくって貸し出してるんですよ。無料で、抽選でね。クリスマスシーズンは競争率が高いから、今回はホントに運良くあたって――」

そんな話はどうでもいいんですと、孝太郎が焦《じ》れているのがわかったのだろう。大場は壁の絵に向き直り、慎重な手つきでそれを剝《は》がした。

「大事に扱ってくださいよ」

孝太郎はまさに拝むようにして受け取った。

間近に検分する。うん、見間違いじゃない。やっぱり髪が長い。そして後ろ姿だ。

「森永君もそうやって、興味津々《しんしん》という顔で眺めていたなあ」

「これ、ロングヘアですよね。背中に翼のある人間ですよね？　うしろの斜線は、風が吹いていることを表現してるんでしょうね」

「雨だと言ってました」

孝太郎は目を上げた。「この絵を描いた子が、雨だと言ってるんですか」

「いいえ、森永君の説ですよ。雨がざあざあ降ってる様子を描いてるんじゃないかって」

大場は思い出したように椅子を引き、向かい側に腰をおろした。両手を事務机の上に載せ、指を組み合わせると、孝太郎の目を覗《のぞ》き込んできた。

「三島君。君も森永君も、本当に学生さんですか」

何だ、いきなり。

「は、はい」

「ただの学生さん？　森永君は、クマーでアルバイトをしていると言ってましたが」

森永は正直に打ち明けたのだ。

「クマーをご存じですか」

「あの業界じゃ有名なところでしょう。社長が女性の方で」

「そうです。僕はクマーで森永さんの後輩なんです」

大場はまだ思案顔だ。「君たち、本当の目的は何ですか。どこかから、うちのことを何か探り出すように頼まれてるとか、そういうことではないんですか」

当惑して、孝太郎はまばたきする。

「どういうお尋ねでしょうか」

大場は目を伏せると、口元をへの字にした。

「君たちが、本当にクマーで仕事するほどのスキルを持っているんだったら、ちょっと本気を出せば何でも掘り出せるでしょう」

含みのある言い方をする。

「うちも、情報管理会社とは付き合いがあるんです。ネットで流布《るふ》している情報をチェックしてもらっていますから」

だからクマーのことも知っていたのだ。

「宗教団体というのは、いろいろ誤解されやすい要素を持っていますのでね。気をつけていても、悪意を持って嘘をばらまく人たちには抗しようがないこともある」

どうやら、何か誤解されているらしい。

「僕と森永さんがクマーで働いているのは事実です。森永さんは学校関連が専門でした。身分はアルバイトですけど、正社員と同じように訓練を受けて、上司から厳しく教育されてます」

大場は黙っている。

「突然のことで、不審に思われるのは無理もありませんが、僕も森永さんも、たとえばこちらのスキャンダルを掘り出そうとか、そんな意図があるわけじゃありません。その手の人間じゃないんです」

大場の表情は晴れない。「森永君が行方不明になっているというのは、どういうことなんだろう」

「わかりません。だから捜してるんです」

「君たちの前から姿を消して、どこかにネタを持ち込んでるとか」

「ネタって――」

孝太郎は言葉に詰まった。これじゃ駄目だ。腹を割らないと。あとで森永に、口が軽いと叱られたっていい。ワケのわからない疑いを抱かれて足踏みしているのは嫌だ。

「大場さん、ここまでの事情をご説明します。とにかく聞いていただけませんか」

話しているあいだ、事務室のなかは静かで、電話一本かかってこなかった。人の出入りもなかった。

「何とまあ」

大場は大きな手で自分の顔を撫《な》でると、何か変わったものでもくっついていないかと検分するように、しばらくその手を眺めていた。

「そんな失踪事件が続いてるなんて――薄気味悪いね」

手をおろすと、まずそう言った。

「森永君、無事だといいが」

わかってもらえたらしい。すぐこんな台詞を吐くところを見ると、大場は真岐や成田より孝太郎寄りの感覚の持ち主だ。

「おかしなことを言って申し訳なかった。お詫《わ》びします。ただ私の側にも、あれこれ勘ぐるだけの理由はあるんですよ。宗教団体というのは、外部の人たちからは何かと煙たがられるし、ちょっとでもトラブルが起こるとすぐマスコミに叩かれるし、うちぐらいの規模になると、内部にも多少の意見の食い違いがあったりするし」

妙に言い訳がましい。

「それにしちゃここの雰囲気はオープンですよね。絵を展示してたことだってそうだし、さっきの八百屋さんだって」

明日は七草粥の会を開くというのだし。

大場は苦笑した。「頑張ってオープンにしているんですよ。特に、地元の皆さんとは親しくしておかないといけないからね」

そしてまた頭を掻《か》く。「だからね、森永君が訪ねてきたときも、いかにも真面目《まじめ》そうだったし、このへんには学生さんが多いですからね、近所のアパートにでも住んでるのかなあと思ったんだけど」

さっき、孝太郎に対しても愛想がよかった。ご近所にはフレンドリーに。気を遣っているというわけだ。

「もともと、こんなふうに押しかけてきてる僕も森永さんも行儀が悪いんです。ですからそれはもう全然かまわないんですけど」

この絵の情報がほしいんだ。

「この絵を描いたのは、こちらの信者の子供さんなんですよね。会わせてもらえませんか。いきなり会うのが無理なら、保護者の方に紹介してもらえませんか。何とかして、もっと詳しいことが聞きたいんです。ちょっとでも、森永さんの行方を捜すヒントになるかもしれないんです。お願いします」

孝太郎は、事務机に両手をついて頭を下げた。大場がもそもそ言い出した。

「申し訳ないんだけど……それは無理です」

顔を上げてみると、本当に困ったように口をへの字にしている。

「この絵を描いた子は、五歳の女の子なんですよ」

やっぱり、まだ就学前の子供の作品だった。

「母子家庭だったんですが、生活に困窮して、医者にもかかれないまんま、お母さんが肺炎で死んでしまってね。それも悲惨な状況でした。電気もガスも水道も止められたアパートで、お母さんが亡《な》くなっていることもわからずに、子供が一人で飢えて凍えていた」

ちょっと言葉が出てこない。

「……いつのことですか？」

「この子が発見されたのは、先月の六日です。お母さんの方は、五日のうちに亡くなっていたんじゃないかということです」

母親の遺体のそばで、五歳の女の子が一晩を過ごしたのだ。灯りもつかず、暖房もない部屋のなかで。

「電気を止めてしまったんで、担当の係員が心配してましてね。様子を見にきて、何度声をかけても母親の応答がないので」

大家に報《しら》せ、玄関の鍵《かぎ》を開けて踏み込み、やっと女の子を発見したのだという。

そんなものなのだ。どんなに心配していても、その資格や権利がない者には、安アパートの鍵のかかった玄関のドア一枚が破れない。だが、そういう手続きが存在していなければ守れない安全もある。それが都会だ。

「その子、今はどうしてるんですか。どこかに保護されてるんですか」

大場はさらに言いにくそうになった。「幸い、父親と連絡がついたんです。でも、女の子を引き取るのを嫌がったそうで。まあ、派手に夜の商売をしてる人で——」

それだけで説明になるだろうという感じで、大場は丸っこい鼻に皺《しわ》を寄せた。

「そのまんまだと、子供は児童養護施設のお世話になるところですよ。でも、大家さんが哀れんでね。もう少し前から気に掛けてやればよかったって、後悔もあるんでしょう」

件《くだん》の父親が、女の子と暮らしてもいいという気持ちになるまで、彼女を引き取って世話することにしたのだという。

「アパートは井田《いだ》町《ちょう》にあるんですが、大家さんはこの近所に住んでいます。うちの信者さんなんですよ」

そこで〈光の家〉と結びつくわけだ。

「じゃ、その大家さんにお願いすれば、女の子に会わせていただけますよね?」

「いや、ですからそれが無理なんですよ」

大場の表情が翳《かげ》った。「その子は、保護されて以来、ひと言も口をきかないんです」

親身に世話を焼いてもらっているから、身体は元気になった。だが、口は開かない。表情にも乏しい。

「やっぱり、母親を亡くしたショックで?」

「もちろんそれもあるでしょうが、それだけでもないようです。どうやら、お母さんと二人で暮らしているころも、保育園や幼稚園に通っていなかったらしいんです。外の世界とのつながりが全くなくて、コミュニケーション・スキルが育っていない。五歳には五歳のレベルのスキルがあるはずなんですがね」

ただ、この子はお絵かきが好きなのだという。クレヨンとスケッチブックを与えておくと、一日じゅう絵を描いている。

孝太郎は、長い髪をなびかせた〈鳥もどき〉に目を落とした。これも、そうやって描かれた絵なのか。

「その子は、同じような絵を、何枚も何枚も描いているんです」

「え？」

「この鳥人間みたいなものばっかり、私が見せてもらっただけでも四、五枚はありましたかね」

どういうことだ。

「何かよっぽど印象に残った——いえ、五歳の子供のことだから、怖かったのかな。テレビとか、絵本なんかで見たんでしょうか」

「わかりません。本人はまったくしゃべりませんから」

〈光の家〉子供会でも、彼女を引き取った大家の相談を受けて、何かと知恵をしぼり、女の子に働きかけている。が、今のところ目ぼしい効果はあがっていないという。

「森永さんには、今の話を？」

「ずいぶん粘られましたが、話しませんでした。うちの信者の子供さんの作品だってだけ」

ならば、森永は手ぶらで引き揚げたのか。

「でも彼、面白いことを言っていた」

大場は、指先でそっと絵の端っこに触れた。

「この絵は、作者が見たものをそのまま素直に描いたスケッチじゃないか、と」

さすがに、孝太郎は目を剝《む》いた。

「は？　この鳥もどきがですか」

「私も驚いたけどね。でも、言われてみればそんな気もしたんだ。だってこれ、後ろ姿でしょう。五歳の子供は、普通、人間の後ろ姿なんか描きませんよ」

「でも、小さな子供の場合、何かでショックを受けて情緒的に不安定になってると、それがお絵かきに表れるっていいませんか。ちょっと変わった絵を描くとか」

大場は目をしばたたいた。「よく知ってますね。確かにそうです。でも、その場合でも、歪《ゆが》んだ人間を描いたり、顔のないのっぺらぼうを描いたりすることはあっても、こんなに上手に後ろ姿を描くってことはない」

「この絵、五歳の子にしては上手なんですか？」

「かなり達者です。だから私も、森永君の意見にも一理あると思った。女の子がその目で見て、強く心に残ったものだから、こういうふうに描けるんじゃないのか、と」

森永が「興味深い」と言ったのも、そういう意味だったのだろうか。だが、それが猪野老人やホームレスたちの失踪《しっそう》事件とどう繋がるというのだろう。こんな生物が実在するわけはないんだから、絵画や彫刻の類《たぐ》いであることは間違いない。それが存在する場所が、老人たちの失踪事件を解く鍵になるとでもいうのか。

「マナちゃんという名前です」

大場は言って、机の上に指で漢字を書いてみせてくれた。真実の真に菜の花の菜。

「母子《ははこ》はひどい貧窮状態にありましたが、仲は良かったようです。今もときどき、真菜ちゃんはお母さんを探しているそうですよ。死んだということがわからないんですね」

可《か》哀相《わいそう》に、と呟いた。

孝太郎のジャケットの内ポケットで、携帯電話が振動した。見てみると真岐からだった。メールではなく音声電話だ。

「三島です」

手振りで大場に（すみません）と示して、席を離れた。そうしておいて正解だった。

真岐はいきなりこう言った。「森永のスマホが見つかった」

電源が切られていたのではなく、壊れていたから繋がらなかったんだ、という。

「どこにあったんですか」

「西新宿の井田町ってとこの雑居ビルだ。正確に言うと、そのビルと隣のビルの隙間《すきま》。幅三〇センチぐらいの」

そばにガスメーターがあり、検針にきた係員が見つけて交番に届けたのだそうだ。

「本体は完全におしゃかになってて、まったく操作できない。でもデータは読み出せたんで、実家とうちに連絡がきたんだよ」

「交番で、よくそこまでやってくれましたね」

「お巡りさんのなかにも、デジタル機器に強い近ごろの若者はいるのさ。本体の壊れ方が尋常じゃないそうだし、おかしな場所に落ちてたからな。調べてくれたんだろう」

こうなったらすぐ捜索願を出す、という。

「森永のご両親にも、ぜひそうしてくれと頼まれた。お父上が上京してくるそうだ」

「わかりました」

「今どこにいるのか知らないが、コウダッシュ――」

「オレは余計なことはしません。警察にお任せします」

通話を終え、大場に尋ねた。「井田町って、この近くですか？」

大場はまばたきした。「いえ、地下鉄でひと駅分は離れてますよ。ＪＲの新宿駅西口が近いかな」

「そこで森永さんのスマートフォンが見つかったんです」

孝太郎が状況を説明すると、大場の顔から表情が消えた。

「真菜ちゃんとお母さんが住んでいたのも井田町のアパートですよ」

あのあたりは古い町なんです、という。「昔は住宅や商店しかありませんでしたが、今はビルばっかりで、その間に昔から住み着いている人たちの古い家が残っている。新宿駅の西側には、そういう町筋が多いんですけどね」

「大場さん」孝太郎はいずまいを正した。「やっぱりお願いします。真菜ちゃんに会わせてください。絶対に怖がらせるようなことはしません。約束します」

しばし無言で孝太郎の顔を見つめてから、大場は椅子を引いて立ち上がった。

大家の住まいはけっこうな邸宅だった。今時、平屋の部分が多い二階屋は珍しい。新宿御苑の近くとなったらなおさらだ。

「三島君、こちらが長崎《ながさき》さんと、妹さんの初子《はつこ》さんです」

　孝太郎が紹介されたのは、小柄な銀髪の老人と、彼とよく似た老婦人だった。こちらは銀髪を薄紫に染めている。夫妻じゃなくて兄妹《きようだい》なのだ。

「何だか知らないけど、大場さんに頼まれちゃ断れないよねえ」

　髪と同じ薄紫色のレンズの眼鏡ごしに孝太郎を検分し、いくらか棘《とげ》のある口調で、長崎初子が言った。「真菜ちゃんが口をきいてくれるきっかけになるかもしれないなら、仕方ないわね」

「ありがとうございます。感謝します」

　大場は孝太郎よりも喜んでいるようだ。

「うちの小さな天才画家さんなら、今もお絵かきしてますよ」

　玄関から長い廊下を通り、冬枯れの庭を横目に、孝太郎と大場は奥へ案内された。先にたつ長崎のスリッパがぱたぱたと音をたてる。

　――こんなに金持ちなら。

　窮乏のうちに若い母親が病死してしまう前に、早く何とかしてやったらよかったじゃないか。困っていたのはあんたらの店子《たなこ》なんだぞ。大家といえば親も同然っていうの、知らないのかよ。

紙くずのように呑《の》み込みにくい反感と、孝太郎は戦った。廊下は呆《あき》れるほどくねくねと長くて、その時間は充分あった。

難しいのはわかっている。個人が個人を救済することには限界があるし、いったん始めたら、今度はきりがなくなる。誰を救い、誰を見捨てるか。その決断の責任を個人に負わせないために、国家の社会保障制度は存在しているのだ。

廊下の突き当たりに、ひときわ明るい小部屋があった。日差しがいっぱいにさしこんでいる。そこに足を踏み入れながら、長崎がぽんぽんと手を打って呼びかけた。

「真菜ちゃん、お客さんだよ」

子育て雑誌のグラビアに出てきそうな、理想の子供部屋だった。五歳の女の子は床にぺたりと座り、小さな丸テーブルに向かって、クレヨンを握っていた。傍らに、セーターにジーンズというくだけた服装の女性が一人付き添っている。彼女の手にもクレヨンがあった。二人で、丸テーブルの上に広げた画用紙に何か描いているところだ。どうやら花の絵らしい。色とりどりでにぎやかだ。

「こちら、うちでお願いしてる保育士の佐藤先生」

孝太郎は女性に会釈《えしゃく》し、女性も目礼を返してきた。歳《とし》は三十前後だろう。ふっくらした優しそうな人だが、目は注意深く孝太郎を観察している。

大場の信用があるから、その信用の裏打ちが、宗教団体の職員と信者の関係という特殊なものだから、若造の見本みたいな孝太郎でも、ここまでたどり着けた。ちょっと間違ったら台無しだ。慎重に行動しなくては。

「こんにちは」

孝太郎は真菜に呼びかけた。女の子は知らん顔で絵を描き続けている。髪はマッシュルームカット。さらさらときれいな髪で、頭頂部にいわゆる天使の輪ができている。身体が小さい。この年頃の子供を見慣れていない孝太郎の目にも、五歳児としては小さいとわかる。パステルピンクのセーターに、裾《すそ》をくるりと巻き上げた柔らかいジーンズ。靴下は白地に赤の水玉模様だ。

「いつもこうなんだよ」と、長崎が言う。「私らじゃ、注意を引くことさえできないんだよね」

「でも、真菜ちゃんにはちゃんと聞こえてますよ」

佐藤先生が微笑《ほほえ》む。自分の部屋と、専任の保育士か。真菜ちゃんには、この環境の激変がかえってよくないんじゃないのか。

「真菜ちゃん、幼稚園には？」

孝太郎は佐藤先生に尋ねたのだが、長崎が答えた。「馴染《なじ》めないみたいでねえ。園の方でも、この子の緘黙《かんもく》が治らないうちは引き受けられないって」

「急ぐことはありませんよ」

大場が言い、立ったままだと場が収まらないことを気にしたのか、長崎を促して壁際のソファに腰掛けた。子供用の低くて小さなソファだ。

「こんにちは、真菜ちゃん」

さっきより少し前に身を乗り出し、声は小声で、孝太郎は呼びかけた。真菜は赤いクレヨンを手に、花というよりは木の葉みたいな形のものを描いては、丁寧に塗り潰《つぶ》している。こちらには目もくれない。

「せっかくお絵かきしてるのに、うるさくしてごめんね」

笑いかけておいて、孝太郎は佐藤先生に言った。「この絵、色がいっぱいですね」

佐藤先生は黙ってうなずく。

「僕が見た真菜ちゃんの絵は、もっと色数が少なくて、しかも寒色ばっかりでした。こういう絵を描くようになったってことは、真菜ちゃん、少しは気持ちが明るくなってきてるんでしょうか」

「失礼ですけど、学生さんですよね」

初めて、まともに目を合わせて質問された。

「はい」

「児童心理学を専攻しているとか？」

「いいえ。あ、でも教育学部です」

後ろから大場が助太刀してくれた。「三島君は、研究目的で来たんじゃありませんよ。真菜ちゃんの描いた絵の素材がどこにあるか探しているだけです」

佐藤先生が上品に眉を吊《つ》り上げた。「それ、どんな絵でしょうかしら」

件《くだん》の絵は、大場が持参してきた。ソファから腰を上げて、そっと佐藤先生に手渡す。

今度は、先生は眉をひそめた。「ああ、これですか……」

「似たような絵を複数描いたと伺ってます」

絵を見つめたまま、佐藤先生は小さくうなずいた。「でも、最近は描いてません」

「見せてもよろしいでしょうか」

「どうしても必要なんですか」

佐藤先生は、長崎と大場に訊《き》いた。長崎は大場の顔を見る。

「真菜ちゃんにはよくないと思いますか」と、大場は問い返した。

「わかりません。ただ、できれば遠ざけておきたいんですが」

そして孝太郎に、「せっかく、こうして明るい絵を描き始めたところですから」

そのとき、予想外のことが起こった。佐藤先生が手にしている絵に、横合いから真菜が小さな手を伸ばして、触れたのだ。

「真菜ちゃん」

真菜の指先が、あの鳥人間の翼の端に触れている。つぶらな瞳《ひとみ》が鳥人間を凝視している。

思い切って、孝太郎は頼んだ。「真菜ちゃんに渡してあげてください」

佐藤先生は逡巡《しゅんじゅん》した。お願いしますと、孝太郎はさらに押した。

真菜の指が、絵の端を摑《つか》んだ。か弱い力だが、しっかりと摑んだ。孝太郎の目には、ちょうだいと要求しているように見えた。

「そうよね。これ、真菜ちゃんの絵よね」

機嫌をとるように、佐藤先生は優しく言う。その手は、真菜から絵を遠ざけようとする。と、真菜がはっきりと、絵を引っ張って抵抗した。

「この絵を展示に出すのを、先生には反対されたんですけどもね」と、長崎が言い出した。「私には、真菜ちゃんにはこれがいちばんのお気に入りに見えたんで……。初子もそう言ってました。展示されてるあいだに、一緒に見に行ったんですよ」

孝太郎は訊いた。「そのとき、真菜ちゃんはどんな様子でしたか？」

「どうもこうも、口をきかないからわからないけども、やっぱり今みたいに手を伸ばして触ってましたね」

孝太郎は思った。五歳の女の子の心に取り憑《つ》いた光景。真菜はそれを描き、描くことで心の外に吐き出した。それはもう外にある。彼女の内からは出ていった。そう確かめて安心する。そういうことではないのか。

——森永さん。オレもあなたの見解に賛成します。

真菜はこれをその目で見たのだ。

「真菜ちゃん」

いっそう声を低め、囁《ささや》くように、孝太郎は鳥人間を指さし、ゆっくりと尋ねた。

「これ、なあに」

真菜の、濃い褐色の水晶をふたつ並べたような瞳が、鳥人間を見つめている。これくらいの歳の子って、こんなに長いあいだ、まばたきせずにいられるものだろうか。

そのくちびるが、震えるように動いた。

「かいぶつ」

声が出た。

佐藤先生が、長崎が、大場が驚いている。孝太郎は手に汗を握った。

「そう、怪物なんだ。真菜ちゃん、怖かったでしょう」

真菜は答えない。視線もそのままだ。

「このかいぶつ、どこにいるの？」

返事はない。

「じゃ、どこから来たのかなぁ」

真菜がまばたきした。瞳が光る。その瞳が、真《ま》っ直《す》ぐ孝太郎を見上げた。一瞬、息を呑んでしまうほど真剣な視線が、孝太郎を射た。

右手の指を開いて、真菜は握っていた赤いクレヨンを離した。そのまま右手を上げ、小さな手の小さな人差し指を立てた。小さな小さな爪《つめ》は、健康的な桃色だ。

真菜は天井を指さした。

「おそら」

この怪物は、空からやってきた。

真菜が母親と暮らしていた六畳一間の部屋は、今は空《あ》いていた。それでも鍵を貸してくれるとき、初子が「知らない人を入れるのはねえ」と渋ったのは、あの立派な邸宅と、このボロアパートとの格差に、本人にも多少は後ろめたいものがあるからだろう。

「アパート経営も、昨今はいろいろ大変なんですよ」

大場がもぞもぞ言い訳めいたことを言うのも、フォローしにくい感情があるからに違いない。

窓際に立つ。午後の日差しがさしかけてくる。冬の陽は短い。窓ガラスのパテが痩《や》せているので、厚手のジャケットを着ていても、忍び込んでくる隙間風が寒い。

あの子はここにいた。後ろで母親が死にかけ、やがて死んでしまうまで。

そして見たのだ。孝太郎もそれを見つけた。

「あれ、何ですか」

指さす先に、丈の詰まった塔のような形のビルがある。四階建てだ。このアパートの方がやや高台にあるので、この窓からはほぼ正面に位置していて、よく見える。

「あそこも井田町なんですよね？」

「そうですよ。えっと、あれはね」

大場は額の上に手をかざして眺める。

「屋上に置物があるんですよ。ガーゴイルとかいうのかな。この近所では有名だそうです。持ち主の趣味が変わってたんですな」

「あのビルには、今も人が？」

「いえ、廃ビルになってるはずですよ」

無人の塔のてっぺんに、有翼の怪物がうずくまっている。

かいぶつ。

真菜が目撃したもの。そして、森永を引き寄せたものだ。

4

都築茂典は、西新宿総合医療センターのなかにいた。

救急受付の並びにある狭い待合室で、すぐ脇《わき》の椅子には千草タエの姪《めい》が腰掛けている。あか抜けた美人だが、その整った顔立ちに、今は疲労の色が濃い。現在、午前十時半。不安と緊張のなかで何時間も待ち続けているのだから、無理もない。

今朝、山チョウからの伝言を見つけると、都築はすぐタエにメールを打った。一時間待っても返事がなく、また打った。早くタエの様子を確認したかった。

もう三十分待ち、今度は電話してみた。応答はなかった。タエは今、都築と話したりメールをやりとりする気分ではないのかもしれない。それは充分あり得ることだが、とにかく都築はタエの声を聞きたかった。

いっそ訪ねてみるか。玄関の集合インターフォンごしでもいい。そう思ってコートに袖《そで》を通しているところに、野呂から電話がかかってきた。

「都築さん、今朝方、千草さんが救急車で運ばれたんだって」

午前五時過ぎのことだという。都築は文字通り固まってしまった。

「幸い、ばたんと倒れて意識が失《な》くなったんじゃないらしくてね。本人が緊急連絡ボタンを押したんで、管理会社がすっ飛んできたんだよ。あのマンションは、高齢者向けにそういうサービスをしてるんですよ」

野呂の名前は、そうした緊急時の連絡先のひとつとして登録されているのだという。

「それで容態は」

「詳しいことはまだわからない。これから病院に行ってみようと思って」

「私もご一緒させてください」

二人で西新宿総合医療センターに駆けつけると、管理会社の担当者だという男性が、看護師と話していた。タエは手術中だという。

「心筋梗塞《しんきんこうそく》を起こされたようです」

タエにはいくつか持病があった。動脈硬化もそのひとつだ。今、彼女のところに通っていたヘルパーが、タエが処方されていた薬を取りに行っているという。

「お身内では、姪御さんに連絡がつきました。横浜にお住まいで、こちらに向かっておられるところです」

「ご苦労さまです。いやはや、おたくさんのおかげで助かりましたよ」

管理会社の社名入りジャンパーを着た担当者に、野呂は丁寧に頭を下げた。

「倒れてそのまんまになってたら、命が危ないところだった」

「救急隊員が到着したときには、千草さんはまだ意識があって、しゃべることができたそうです。ただ呂律《ろれつ》が怪しくて、何を言っているのかよくわからなかったらしいんです」

都築は尋ねた。「何かを怖がっている様子はなかったでしょうか。あるいは、ひどく驚いて怯《おび》えていたとか」

管理会社の男性と野呂が顔を見合わせ、それから都築の顔を見た。

「高齢者の場合、ちょっとした刺激でも心臓に負担がかかるんじゃないかと思いましてね。大きな音がしたとか、滑って転んだとか、それでびっくりして」

「ああ、そうだねえ」

野呂は人が好《よ》いし面倒見もいいが、詮索《せんさく》したり疑ったりすることには長《た》けていない。

タエの部屋の窓から見えるガーゴイルのことは、まったく頭に浮かばないようだ。後ろめたさが半分、安堵《あんど》が半分で、都築は彼の目から目をそらした。

管理会社の男性が帰り、一時間ほど二人で待っているうちに、タエの姪が到着した。自己紹介を済ませると、店がある野呂はいったん引き揚げた。以来、都築はタエの姪の千草静子《しずこ》と、手術が終わるのを待っている。都築の方からは何も訊かなかったが、沈黙が辛《つら》いのか、静子はぽつぽつと身内のことを語った。彼女はタエの亡夫の弟の一人娘だという。姓も千草だし、話の様子から推《お》しても独身のようだ。

「うちも、父はもうおりませんし、母は伯母とは昔から折り合いが悪いので」

「タエさんの息子さんと、連絡は」

「よろしく頼むよって」

静子の口調に苦みが混じった。

「忙しいんでしょう。お葬式を出すことにならない限り、帰国しないんじゃないかしら」

タエの身辺の寂寥《せきりよう》が、ここにもちらりと覗《のぞ》いている。

「そうすると、お身内ではあなたがいちばん伯母さんと親しくしておられたのかな」

「親しいというほどではありませんが」

「最近、伯母さんのご様子に変わったところはありませんでしたか」

「変わった――と申しますと」

「言葉どおりです。今までにないことを言い出したり、珍しい話をしたり」

千草静子は訝《いぶか》しそうに首をかしげる。それだけで都築には答えになっていた。

今朝、タエの身に何が起きたのか。

――怖くて外を見られません。

あの電話があったのが、午前三時二十二分。タエが倒れたのは、あれから二時間ほど経《た》ってからのことになる。

一月六日の午前五時は、まだ夜明け前だ。あたりは暗かったろう。東の空の一端がかすかに白んでいた程度だろう。

それでも、時計の上では朝と言っていい時刻だ。もう真夜中ではない。怖がってばかりいてはいけない。タエは都築との約束を守ろうと、気を取り直し、自分を励まして、窓の遮光カーテンに手を触れる。いきなり全開にする勇気はあるまい。ほんの少し開けて、外の様子を見てみよう――

そして、タエは何かを見た。それに驚き、ショックを受けて倒れた。心臓発作は驚《きょう》愕《がく》に誘発されたものではなかったか。

タエは何を見たのだ。

あの怪物が、はっきりと動いているところ。

翼をはばたかせているところ。

夜明け前の薄闇《うすやみ》のなかに舞っているところ。

それは幻覚だったかもしれない。タエは普通の精神状態ではなかった。思い込みと恐怖から、見間違いをしやすい状態だった。

どっちにしろ、都築の責任は変わらない。

正午を過ぎて、ようやく手術が終わった。タエは一命を取り留めたが、予後は深刻で、回復までに相当な時間を要するという。当分、ＩＣＵに入ることになる。

千草静子がＩＣＵに面会に行っているあいだに、野呂がふたたび顔を覗かせた。都築が、タエの容態が予断を許さないものであることを説明すると、がっくりと肩を落とした。

「辛いねえ。あたしより若い人が先にこんなことになっちゃうなんて」

千草静子がＩＣＵから戻ってきた。泣いている。

「いっぺんに小さくなってしまってました」

罪悪感が、都築の骨まで染《し》みてきた。

「姪御さん、タエさんの部屋の鍵、管理会社の人からもらったかい？」

慰めるように、野呂は彼女の顔を覗き込む。

「はい」

「なら、ちょっと行って休んでいらっしゃい。ここはあたしが留守番を引き受けるから。何かあったらマンションに電話しますよ」

「じゃあ、私が送っていこう」

遠慮する静子をせき立てて、都築は一緒に病院から出た。

「気分のいい話じゃないので、こそこそ申し上げますが」

都築が言い出すと、静子は泣き濡《ぬ》れた目をしばたたいた。

「伯母さんの部屋を、ちょっと私に調べさせていただけませんか。実は——」

都築は自分が元刑事であることと、その立場で野呂会長を手伝っていることを話した。

「たとえばベランダに人影がいたとか、窓の外でおかしな物音がしたとか、何かそんなことが、あなたの伯母さんを驚かせたんじゃないかと、そんな気がして仕方がないんです」

千草静子は、目に見えて狼狽《ろうばい》した。「警察に報せた方がいいでしょうか」

「その前に、私に見せていただきたいんです。思い過ごしかもしれませんからね」

「わかりました。よろしくお願いします」

何も知らないタエの姪を騙《だま》すのは申し訳ないが、都築はどうしても、またあの窓際《まどぎわ》に立ってみたかった。今日は、お茶筒ビルの上の怪物はどんな姿勢をとっているだろう。何か変化は起きていないか。

それに、今言ったことは一〇〇パーセントの嘘《うそ》でもない。タエは怯えていた。そして言っていた。あれが窓の外にいます、と。

タエのマンションの玄関ドアは、管理会社によってきちんと施錠《せじょう》されていた。ドアの内側に、緊急ブザー通報によって、マスターキーを使用しチェーンを切って立ち入ったことを示す報告書が貼《は》ってある。なかなか行き届いたやり方だ。

どうぞ、と都築にスリッパを差し出し、千草静子はバッグのなかからスマートフォンを取り出した。病院にいるあいだは電源を切っていたので、メールや着信が溜《た》まっているのだろう。チェックに夢中になっている彼女をおいて、都築はリビングのあの窓に近づいた。

遮光カーテンは開いている。レースのカーテンを引き開ける。

冬晴れの空の下、西新宿の町並みのなかに、お茶筒ビルが見える。屋上にはあのガーゴイル。都築の目には、昨日と同じ形、同じ姿勢に見えた。右肩から突き出している大鎌《おおがま》の柄《え》の角度まで。

——あれが窓の外にいます。あれは、わたしに見られたくないんです。

ただの置物、ただの飾りだ。

——作業してるあいだ、何度か頭の上で妙な音がした。

——真っ黒けで、こんな大きな鳥が飛んでいくのを見たって。

——未詳の人物は鳥じゃないよな？

いつの間にかすり替わっていた怪物の像。

もう一度、あそこに登ってみるしかないか。そう思い決め、都築は窓に背を向けかけた。

そのとき、気づいた。

一枚ガラスの下の部分。向かって右。高さは都築の腰のあたり。窓の下に作り付けの棚がついていて、タエが大きな花瓶を置いていた。その陰になって、すぐには見えなかったのだ。

窓ガラスに、残っている。

都築は自分の目を疑った。実際、何度もまばたきし、手で目を拭《ぬぐ》ってみた。だが、それは見えた。はっきり見えた。消えない。失くならない。

手形だ。

窓の外から、ガラスに手が押しつけられた跡が残っている。

この高さに。こんな位置に。

しかも、この手の大きさは何だ。指の長さは何だ。都築の手の倍はある。

まごうことなき怪物の手だ。

これみよがしに。

とっさに、そう思った。この手形が残されたことの意味。

ここにいる。夢でも幻覚でも見間違えでもない。ここにいる。

——あれが窓の外にいます。

確かにいたのだ。千草タエは真実を語っていた。

「ずいぶん急な話なのねえ」

俊子は疑っている。都築は小型のボストンバッグに必要なものを詰め込んでいた。

現役時代、出張や泊まり込みのときに重宝したバッグだ。久しぶりの出番である。

「急に空きができたっていうんだ。せっかく予約してあるのに、勿体《もったい》ないじゃないか」

「だってあなた、その足で」

「だから連中も、最初は俺を誘わなかったんだ。でも空きができたからさ、ダメ元で声をかけてくれたんだろ」

あの怪物の真実を突き止めるならば、昼間のうちに行っても無駄だ。夜の闇のなかに潜み、張り込んでいなくては。

陽が落ちたら、山チョウ謹製の鍵を使って忍び込み、張り込みに適当な場所を確保する。そしてビルの屋上で一晩を過ごす。

明日、どんな顔で帰宅することになるのか、今は考えまい。ただ、俊子への言い訳はこしらえなくてはならない。都築は、警察ＯＢ会の有志で箱根に行くという口実を思いついた。急病で欠席者が一人出た。だから都築に誘いがかかった、と。

「まあ、温泉につかるのは悪いことじゃないと思いますけどね」

俊子はつまらなさそうに言って、

「わたしだって、たまには温泉——」

「足が治ったら連れてってやるよ」

「はいはい、期待してます」

「それと、千草さんがあんな状態なのに、俺だけ呑気《のんき》に温泉旅行じゃ、さすがに野呂さんに悪いからさ。内緒にしといてくれよ。俺からも適当に言っとくけど」

「町内会のことで、あなたがそこまで義理を感じる必要はないと思いますけどね」

「付き合いってもんがあるから」

俊子はテレビのリモコンをいじり、チャンネルを切り替えている。都築のいるところからは画面が見えないが、どのチャンネルから聞こえてくる音声も似通っていて、緊迫している。

「何を見てるんだ？」

「今、どこもニュースばっかりよ。報道特番っていうの？　大騒ぎになってるから」

四人目の被害者が出たからよと、俊子は言う。都築は目をぱちくりした。

「四人目って――あの遺体の指を切る奴《やつ》か」

「そう。でも今度は指じゃなくてね、右膝《みぎひざ》から下を切られてるんだって」

酷《むご》いわねえと、俊子は顔をしかめる。長いこと刑事の女房をしていても、こういうときの反応は一般人と同じだ。

ボストンバッグの口を締め、痺《しび》れた足を持ち上げて、都築もリビングに行った。テレビ画面には、狭くて小汚いガソリンスタンドが映っている。

「今度は戸塚だってよ。だんだん東京に近づいてるわね」

「このニュース、いつ始まった？」

「十時ぐらいだったかしら。そのときはまだどこの誰だかわからなかったんだけど、川崎に住んでる薬剤師さんですって」

三歳の男の子のママですってよと、俊子はどこかが痛いような顔をした。

「早く犯人を逮捕してもらわないと。神奈川県警は優秀だって、あなた言ってたわよね」

都築は生返事をした。テレビ画面には、遺体が捨てられていたというトイレが――その場所をすっぽりと覆《おお》ったブルーシートと、立ち働く鑑識課員たちの姿が映っている。

「このトイレはですね、あのブルーシートの奥、今は見ていただくことができませんが、スタンドの建物の裏手に位置しています」

カメラが少し移動し、道の反対側に立ってマイクを握る男性レポーターの姿を映した。唾《つば》が飛ぶほどの勢いでまくしたてている。

「男女兼用タイプのトイレですし、スタンドの側からはちょっと死角になるもんですから、やや物騒だということもありまして、お客さんが使う際には、店員からいちいち鍵を借りるようになっていたそうなんです」

画面の外から、スタジオの出演者が質問した。「遺体が発見されたとき、トイレの鍵はかかっていたんですか」

「かかっていました。午前九時の開店時間の前に、八時半前後だそうですが、出勤してきた従業員がトイレの清掃のために鍵を開けて、遺体を見つけたんです」

「つまり、遺体はそれまでトイレのなかに隠されていたというか、閉じ込められていたというか」

「そうなんです！　そのとおりなんです」

テーブルの脇に立ったまま、都築はじんわりと寒気を覚えていた。

——いったい、何なんだ。

「あなた」

俊子が呼んでいる。心なし、心配そうな声音だ。

「あん？」

「大丈夫ですか。怖い顔して」

うんと、都築はまた生返事をした。「俺は、神奈川県警は警視庁《うち》と犬猿の仲だって言ったんだ。優秀かどうかは知らんよ」

テレビ画面から視線をもぎ離し、それでも背筋を這《は》いのぼってくる寒気に、都築はぶるりと震えた。

ノートパソコンも入れたので、ボストンバッグはけっこうな重さになった。マンションのエントランスを出ると、都築はすぐタクシーを拾った。ネットで予約したビジネスホテルは代々木にある。新宿駅の近くだと、知り合いと出くわす可能性があるから、ひと駅ずらしたのだ。夜になってからお茶筒ビルまで戻るにも、タクシーを使おう。このところの過負荷が、都築の足にはだいぶ堪《こた》えている。

簡素なシングルルームに入ると、まずベッドに横になって休んだ。腹ばいになってパソコンの電源を入れる。新しい情報は寄せられていないか。都市伝説関係のサイトに、目立った書き込みはないか。

目新しいものは何もない。お茶筒ビルのガーゴイルは、物語性を付加されて膨らんでいくのではなく、自然に消失していくタイプのネタになったようだ。あのビルを建てた元ＩＴ長者の青年実業家にまつわるスキャンダルがいくつか書き込まれており、そのなかには、あそこで死んだというモデルの女性についての話題も混じっていた。そっちの方が、置き去りにされた怪物の像よりも、今でも興味深いということか。

野呂から連絡がないので、こちらからかけてみた。彼も家に帰っていた。千草タエはいまだに昏睡《こんすい》状態だという。

「私は所用ができて、ちょっと出先にいるんですが……」

「別にかまわないですよ。あたしらにできることはないもんねえ」

しかし千草さんの息子も冷たいよねえと、野呂は怒っている。

「姪御さん、泣いてたよ」

今夜は徹夜になる。仮眠をとっておかねばならない。現役時代、特に枝野班にいたころは、昼間の半端《はんぱ》な時刻であっても、その必要があればスイッチを切るように眠り、スイッチを入れるように起きることができた。今はどちらもおぼつかない。なかなか眠れず、眠ってもすぐ妙な気配に目を覚まし、ついホテルのはめ殺しの窓に視線がいく。

あの巨大な手形。

睡眠は切れ切れでも、横になっていただけで足にはいい休息になった。痺れが消えている。起きてテレビをつけた。夕方のニュース番組の時刻だ。各局ともに、四人目の被害者発生、連続殺人事件に新展開と、騒いでいる状況は変わっていない。

被害者は小《こ》宮《みや》佐《さ》恵《え》子《こ》という。会社員の夫と子供と、家族三人で川崎市内の大規模マンションに暮らしていた。彼女の勤め先の調剤薬局は、自宅マンションから路線バスに乗って二十分ほどのところにあった。

小宮佐恵子は、昨日の午後五時に仕事をあがり、同僚に挨拶《あいさつ》して薬局を出た。午前八時半から午後五時が彼女の勤務時間だ。三歳の子供は、マンションのなかの保育園にいる。便利だし安心で助かる、あの園に入《はい》れてよかったと、彼女はよく同僚に語っていたそうだ。

いつものようにバス停に向かい、しかし、小宮佐恵子はバスに乗っていない。路線バスの運転手たちは、いつも決まった時間帯に乗り降りする彼女の顔を見知っていた――薬局で彼女と面識のある運転手もいた――が、昨日の夕方は彼女を乗せなかったという。バス停に立つ彼女を見かけたという証言もない。

午後八時、小宮佐恵子が子供を迎えにこず、携帯電話でも連絡がとれないことを心配した保育園は、夫に連絡した。驚いた夫が急いで子供を迎えに行き、帰宅すると、家のなかは冷え切って真っ暗だった。

薬局に電話し、妻が定時であがったことを確かめると、彼はすぐ一一〇番通報した。苫小牧《とまこまい》や秋田や三島の事件のことは、まったく頭になかった。ただ、妻に限ってこんなことはあり得ないから、何か尋常ではないことが起こったと思ったのだった。

これは本人の直話《じきわ》だ。警察の事情聴取を終えて出てきたところを記者に囲まれ、震えながら語っていた。テレビでは顔は映らなかったが、声と仕草だけで、彼の動揺、心痛、恐怖が充分に伝わってきた。顔の表情よりも、むしろボディーランゲージの方が正直で雄弁なことがある。

駆けつけた巡査は夫に、家のなかを捜してみるよう言った。巡査も同行した。俊子に言ったらまた「酷《むご》い」と言われそうだが、都築でも同じことをした。その時点では、小宮佐恵子が家のなかにいる可能性を排除しきれない。その生死はともかくとして。

しかし、彼女は見つからなかった。夫は捜索願を出し、子供は保育園が預かった。彼は心当たりの場所に連絡し続け、所轄《しょかつ》署は管内の救急病院をあたった。佐恵子の帰宅ルートに沿って捜索を行い、目撃者を探した。

そうして一夜が明け、戸塚のガソリンスタンドで、彼女は発見されたのだ。死因は窒息死。ロープ状のもので首を絞められたらしい。前の三件と同様だ。右脚の切断は死後に行われたもので、これも前の三件と共通している。

トイレの鍵の件があるから、スタンドの経営者である店長と、バイトの従業員の男性が疑われているらしい。だが、小宮佐恵子はこのスタンドを利用したことはなかった。そもそも小宮夫妻は自家用車を持っていないし、佐恵子は免許を持っていない。

店長も従業員も、被害者を知らないと話しているという。

うらぶれたガソリンスタンドだが、県道沿いにあるのだというし、ここまで老朽化するほど長いこと営業してきたのだから、延べどれほどの人数の客にトイレの鍵《かぎ》を渡してきたのか、見当もつかない。だが、まずはその線をしらみつぶしに探していくしか手がないだろう。そのなかの誰かが、この犯行に備えてトイレの合鍵を作って持っていたのだ。ここに遺体を捨ててやろうと、あらかじめ企《たくら》んで。

困惑と苛立《いらだ》ちと腹立ちに、都築は胸がむかついてきた。明るいニュースで気をまぎらわすならともかく、徹夜の張り込みの前に、こんなものを見ていたってしょうがない。テレビを消し、また横になった。七時になると近くでコンビニを探し、弁当と使い捨てカイロを買って戻った。

午後九時。支度を調えて部屋を出ようとして、ふと思いついて山チョウに電話をかけた。

「合鍵、ありがとう」

「ああ、都築さんか」

「実はこれから、あの鍵を使いに行くんだ」

「大したことない鍵だったけど、ビルはたいそうなもんだったね。あれだけのスペースにそっくり電気がきてないと、墓穴みたいに真っ暗だ」

都築も懐中電灯を用意してある。

「それに寒かったよ。都築さん、しっかり着込んでるかい？」

何を調べているのかとか、何をするつもりなのかと訊かないところも山チョウだ。

「着ぶくれてるよ。ところで、あのメモだが」

でっかい鳥が羽ばたいてるみたいな音だ。

「悪いねえ、おかしなことを書いて。でも本当なんだよ」

「ちっとも悪くない。こっちがおかしなことを訊くよ。山チョウさん、その音を聞いて危険を感じなかったかい？」

山チョウはちょっと黙った。

「商売柄そういうことには敏感だろう？」

「都築さんだってさ」

「俺はもう現役じゃないからな。勘が鈍ってるから」

山チョウの躊躇《ためら》いが伝わってくる。

「そうだなあ……妙だとは思ったけど」

怖いとは思わなかった、という。

「もっと怖いもんがいっぱいいるからね」

「よく知ってるもんなあ」

「場合によっちゃ、都築さんたちだって怖かったし」

「俺たちは常に、麗《うるわ》しい協力関係にあったじゃないか」

「ま、そういうことにしとこうか」

　山チョウは軽く笑った。

「済まんが、もうひとつ頼みがある」都築は思い切って言った。「明日、この話をしてゲラゲラ笑うことになったらそれでいいし、その場合には一杯奢《おご》るよ。だから今は引き受けてくれ」

「何だよ」

「明日、そうだな——正午になっても俺があんたに連絡しなかったら、うちの家内に電話してくれないか。で、俺が西新宿のあのビルに行ったって伝えてやってほしいんだ」

「それだけでいいのかい？」

「いい。うちのヤツとは、俺に何かあったらどこに相談するか、ちゃんと話し合ってあるから」

「都築さん、あそこで何をやるんだ？」

「夜警の真似《まね》事《ごと》だよ」

「危ない真似をするつもりなんだな」

都築は笑った。自分でも不自然な笑いだと思ったが、今は笑うことが必要だ。

「わからないんだ。突飛であり得ないことだから、もしかすると、毎日があんまり退屈なんで、俺がおかしな夢を見ているだけなのかもしれない。ただ――」

ここで山チョウも笑ってくれるといいが。

「あのビルの近くで、大きな鳥を見たっていうじいさんがいてね。そのじいさんが、ふっつり消息を絶ってそれっきりになってる。まるで、その大きな鳥にさらわれたみたいに消えちまったんだよ」

山チョウは笑わなかった。またしばしの沈黙を挟んで、こう言った。「俺の知ってる限りじゃ、鳥ってのは夜は目が利《き》かないよ」

鳥目《とりめ》だからだ。

「だから、鳥みたいだけど鳥じゃないのかもしれないね。都築さん、気をつけろよ」

「うん。充分に気をつける」

電話を切って、都築は思った。鳥みたいだけど鳥じゃない。そのとおりだ。あんなでっかい手をしてるんだから。

あれから、またバリケードに動かされた形跡があるかどうか。さすがに、懐中電灯の光では確認できなかった。

山チョウの鍵はぴたりと合った。いつも見事な仕事だ。油を引いたようにくるりと錠が回って、お茶筒ビルの内側の淀《よど》んだ空気が都築を迎え入れた。

周囲の町筋と建物にはまだ灯りがついているので、真っ暗ではない。外部からの光が届かない建物の中央に、闇が固まっている。何かとろんとした粘液質の手触りが感じられそうな、湿度のある闇だ。

その場に立ったまま、都築はしばし考えた。また鍵を掛けておこうか。

扉を閉めるだけにして、鍵は開けておこう。

もしかしたら――本当に本当にもしかしたら、都築が緊急にここから外へ逃げ出さなくてはならない事態が起こるかもしれない。退路を確保しておかねば。

今日は靴にビニール袋をかぶせず、階段も真ん中を踏んでのぼった。窓に光が映らないよう、懐中電灯は足元を照らすようにする。昔とった杵柄《きねづか》で、一度捜索したこのビルの内部の造りを、都築はちゃんと覚えていた。

ただの闇なら怖くない。この社会には、もっと怖いものがいっぱいいる。

四階にあがると、足元にボストンバッグを置いて、機械室に入った。前回調べたとき、隅の方に汚れた段ボール箱がいくつか立てかけてあったのを覚えていた。引っ越し会社のロゴ入り段ボール箱を壊したものだ。

それをつかんでずるずる引きずり、屋上へ通じる上げ蓋《ぶた》と梯子《はしご》の下に重ねて敷いた。

都築一人で、この足だ。うっかり踏み外すとか、

――慌《あわ》てて逃げようとして落ちるとか。

そんなことがないとは言い切れない。段ボールでも、いくらかのクッションにはなるだろう。

梯子をおろし、見上げる。上げ蓋は、蝶番《ちょうつがい》が錆《さ》びているのか、硬かった。一人で梯子につかまり、片手で開けなくてはならない。都築は指をほぐし、軽く屈伸運動をした。

そして梯子をのぼり、上げ蓋を上げ、屋上へと頭を出した。

寒気が吹きつけてきた。冷たい風ではなく、寒気の塊だ。目に染みて涙がにじむ。

銀河の星々をかき集めてきて、そこらにぶちまけたような夜景である。人間はなかなか自由に宇宙に行けないが、宇宙の眺めを地上に創《つく》り出すことなら、とっくにやっ

ている。もっとも、星々はこんな俗っぽい色合いをしてはいないが。

そんなことを考えた、次の瞬間。

上げ蓋から頭を出したまま、都築はその場に凍りついた。

ガーゴイル像が消えている。

5

夕刻、各局一斉に始まった喧噪《けんそう》のニュース番組を、孝太郎は自宅で観《み》た。三島家の夕食は七時と決まっているので、時間帯が重なる。だから、殺人事件などのニュースが多いときは母・麻子《あさこ》が嫌がり、チャンネルを変えることが多いのだが、今日はその麻子が率先してテレビにかじりついていた。四人目の被害者が若い母親だということに、いたく心を痛めているらしい。

「犯人、まだ捕まらないのかしら。あんたのバイト先でも、こういうときは警察に協力するんでしょ？　早く何とかしてよ」

「クマーは警察の下部機関じゃないんだよ。こういう事件をすぐ何とかするなんて無理だよ」

「ネットに犯行声明とか出てないの？」

「今ンとこは何もない」

「しっかりしてよ。こういう事件は速攻で解決してくれなくちゃ」

テレビを相手にしきりと嘆く麻子を横目に、孝太郎は内心でそわそわしていた。

西新宿・井《い》田《だ》町《ちょう》にある、屋上にガーゴイル像を載せた廃ビル。地元では〈お茶筒ビル〉と呼んでいるという。ＩＴバブルの最中に、ＩＴ長者の建てた曰《いわ》くつきのビル。

今夜、こっそり忍び込む。そのつもりで準備を整えていた。

下調べは済んでいる。午後、真菜が母親と住んでいたあのおんぼろアパートを出ると、その足でお茶筒ビルに行ってみたのだ。心配だからと大場もついてきたので、二人で手分けしてビルのまわりを調べた。

——出入口は二ヵ所ともがっちり閉められてるし、窓も頑丈だし、こりゃ、無関係の人間が入り込むことはできないね。

大場は少しほっとしたように言った。

——森永君がここに来たとしても、外から見るだけで、何もできなかったろう。やっぱり、真菜ちゃんの絵と森永君の失踪《しっそう》は関係ないんじゃないかなあ。

そうですねと、孝太郎もその場では応じた。頭のなかでは忙《せわ》しく考えていた。

森永の失踪と、この場所と、真菜の描いた〈かいぶつ〉の絵と、彼が追いかけていた失踪事件。繋《つな》がりがないなんて考えられない。

一昨日《おととい》、四日の午後九時三十四分、森永が成田《なりた》島長《とうちょう》に送ったメールには、こうあった。

〈少し気になることがあるので　今日は夜間調査を実行してみます〉

つまり森永は、メールを打った後でその調査対象の場に向かったのだ。それはお茶筒ビルであったに違いない。

昼と夜では、あのビルの状況が違ってくるのかもしれない。夜になると誰かが出入りするとか、出入りできる状態になるとか。だからこそ森永は夜間調査に行った。

オレも準備しないと。孝太郎はいったん家に帰ることにした。中央線に揺られながらパソコンを叩《たた》いて、あのビルを見つけたときと同じくらい驚くことになった。

お茶筒ビル、ガーゴイル像というキーワード。孝太郎が自分で撮ったビルと像の写真。像はかなりの遠景だけれど、ちゃんと撮れた。それを打ち込んで検索してゆくと、情報が溢《あふ》れ出てきたのだ。

あのビルのガーゴイル像は、夜のあいだに動く。朝と夜で姿勢や位置が変わる。設置されたときには何も持っていなかったのに、今は武器のようなものを手にしている。

こんな噂《うわさ》があったのか。

さほど熱い話題になっているわけではない。都市伝説のサイトだから、この手の話は掃いて捨てるほどある。像が動くなんてくらいじゃ、誰も驚かない。実際、書き込みのなかでは、ガーゴイルの話より、ビルの来歴や廃ビルになるまでの顚末《てんまつ》の方が目立っているくらいである。

だが、〈動くガーゴイル像〉は、森永にとっては貴重な情報だったはずだ。この情報があったから、森永はわざわざ夜間調査に行ったのだ。

あの怪物は空からやってきた。そして夜動く。夜になると羽ばたく。

――真菜ちゃんはそれを見たんだ。

思い当たってハッとした。あの絵の背景。斜線がたくさん引いてあった。森永はあれを雨だと解釈していた。確かにそうだったのではないか。

真菜の母親が亡《な》くなったのは五日だ。肺炎にかかっていたというのだから、その前から寝込んでいたのだろう。そして前日の四日の夜、都内は冬の大嵐《おおあらし》に見舞われていた。真菜が〈かいぶつ〉の背景に描いた斜線は、確かに雨――あの大嵐で横殴りに降っていた雨ではないのか。

目に浮かぶ。病臥《びょうが》している母親の傍らで、あのボロアパートの窓から外を眺めている真菜の姿が。

〈かいぶつ〉は、その真菜の視界のなかに降り立った。きっとそうだ。四日の夜にやってきてお茶筒ビルの屋上にとまり、

——五日には猪野老人が姿を消して。

地図で確認すると、井田町と百人町は目と鼻の距離だ。

——ホームレス失踪事件が始まった。

西武新宿線の沿線で、点々と。

何が何でもあのビルに入り込んで調べなくては。もしかしたら——発見できるという意味では最良で、その身に凶事が起こっているとしたら最悪の想像になるが、森永は今、あのビルのなかにいるのかもしれない。なかに入ったはいいが、状況が変わって閉じ込められているのかもしれない。外部と連絡をとることができず、声を出して助けを呼ぶこともできずに。

——そうだよ、スマホは落としちゃったんだから。

森永のスマートフォンは、井田町の雑居ビルとビルの隙間《すきま》に落ちていた。操作できないほど壊れていた。

なぜそんな場所に落ちていた？　なぜそこまでひどく損壊した？　森永が必死で逃

げていたからではないのか。空から舞い降りてくる〈かいぶつ〉から。

それとも〈かいぶつ〉に捕まって、上空高くへ運び去られ、そのときスマホだけが地上に落ちたのか。だからヘンな場所に落ちて、めちゃめちゃに壊れた。

想像ばかりしていたって仕方がない。実行あるのみだ。

帰宅すると、孝太郎はまず母に言い訳をした。今日はバイトで遅くなるって言ったけど、〈指フェチキラー〉の事件に新展開があったんで、急にシフトが変わったんだ。オレ、今夜十時にまた出勤で、徹夜になるから。

それから自室で、懐中電灯とかデジカメとか、要りそうなものを片っ端からリュックに詰めた。朝まで像の様子を見張るのだから、泊まり込みだ。相当冷えるだろうから寝袋があるといいのだが、家にそんな用意はない。着ぶくれていくしか手がないだろう。

それよりもっとも肝心なのは、あてが外れてすんなり入れなかった場合に、通用口を開けるための道具だ。

バールでいいか。マンションのドアをバールでこじ開けて侵入する外国人窃盗団の手口を、ニュース番組で見たことがある。車庫にあるのを、出がけにこっそり借りていこう。年明けのこの時期は、父・孝之《たかゆき》は新年会続きで帰りが遅い。一晩ぐらい黙って拝借したって気づかれまい。

雑念というか、思考の乱れは多々あった。あんな〈かいぶつ〉が実在するわけはない。ならば、誰かが怪物のふりをしているのだ。なぜそんな手の込んだ真似をする？ ホームレス狩りをしたいだけなら、森永が監視《ウォッチ》していたガキどものようにやればいいだけの話だ。

芝居がかっている。変に込み入っている。失踪者がいなければ、テレビ番組のやらせみたいにも思える。

お茶筒ビルは利権が入り組み、売買できない状態で放置されているという。関係者の誰かが、おかしな事件を起こして評判を落とし、地権者の誰かに権利を放棄させようとしているとか？ いや、だったらもっと派手に、目立つ形でやらかすだろう。誰かに対する脅し？ それも、こんな回りくどいやり方ってありかよ。

何かありものの筋書きや設定をなぞっているのかもしれない。そう思って、コミックや映画のあらすじサイトに検索をかけてみた。都市の夜を跳梁《ちょうりょう》する有翼の怪物。人を襲う。出てくるのはまた〈モスマン〉とか翼竜で、ガーゴイルは見当たらない。人間型で翼があるとなると、吸血鬼の類《たぐ》いになる。

——吸血鬼。

ちょっと寒気がした。あのビルに踏み込んだら、血を抜かれたホームレスたちの遺体が山積みになっていたりしたらどうしよう。

勝手に想像してビビッてんじゃねえよ、オレ。

夕食の時間にリビングに降りていくと、ちょうど一美《かずみ》が帰ってきた。都大会が近いとかで、三学期が始まる前から部活三昧《ざんまい》だ。

孝太郎が元日に挨拶に行ったとき、美香は明るい顔をしていた。園井家の雰囲気も温かくて、ハナコおばちゃんは上機嫌だった。半分は偵察の気分で出かけた孝太郎だったが、それですっかり安心した。貴子さんが言う通り、例の件は山を越えて終息に向かっており、もう問題はなくなっているのだろう。

「おかえり」

声をかけても、一美は無視だ。この年頃の妹には、兄貴なんて虫けら以下だ。

「美香は元気か？」

いかにもあたしバテてるから不機嫌だよという態度で浴室に向かっていた一美は、肩越しにちらっと振り返って吐き捨てた。

「お正月に会ったじゃん」

「正月はもう過ぎた」

「お正月って最近だったんじゃない？　今日って何日だっけ？」

「いいよ、わかったよ」

夕食のあいだも、麻子はずっとテレビのニュースを追いかけていた。ひどい事件だ、世の中はどんどん悪い方向に向かっていると言いながら、その割にはよく食べる。事件報道に興味を持ち、関係者の身の上を案じ、解決を願う。テレビの前の一般市民は、だいたいこんなものなのだろう。三島麻子だけが格別に物見高いのではなく、無責任なのでもなく、また心が優しいのでもない。

ただ、森永の件を抱えた今の孝太郎の目には、やっぱりそれは嫌な景色だった。麻子は被害者のために心を痛めつつ、大事件にはしゃいでいる。

食事前にシャワーを浴びた一美は、バスタオルで頭を包んだまま、むっつりと箸《はし》を動かしている。

「明日は七草粥《ななくさがゆ》にするからね。コウちゃん、明日は何時ごろ帰る?」

明日の今ごろ、自分がどんな状態にあるのか、孝太郎にはわからない。とりあえず母の機嫌を損ねないことにした。

「たぶん、夕飯には間に合う」

「徹夜したまま大学へ行くのね。そうよねえ、バイトより授業の方が大事だもんね」

嫌味に言って、母は目つきを厳しくした。

「あんたたち学生のバイトに徹夜させるなんて、お母さん、クマーのやり方にはあんまり感心できないわ」

「しょうがないよ。サイバー空間には日常とは違う時間が流れてるんだから」

「意味がわからないわね」

「オレたちは警備員みたいなもんなんだから、夜勤もあるってこと。いいじゃんか、社会勉強になるよ」

ごちそうさまと言って、一美はぷいと席を立った。彼女が階段をあがって行ってしまうと、麻子が声を潜める。

「テニス部で何かあったのかしら」

「試合が近いからテンパッてるんだろ」

「徹夜の前にお風呂《ふろ》入っていく？」

「風邪ひくからやめとくよ」

「じゃ、出かける前に下着だけでも替えときなさい」

ほんの少しだけれど、孝太郎は、この母に嘘をついて出かけていくのを済まなく思った。それと同じくらいほんの少し、（うぜえ）とも思った。

ぱんぱんになったリュックを背負い、車庫の奥の物置を探すと、バールはすぐ見つかった。が、夜の新宿でこんなものを手に持って（あるいはリュックに突っ込んで）歩いていたら、一発で巡査に職務質問される。どうしようかとうろうろし、結局、麻子が百円ショップで買った傘袋に入れることにした。

自転車で駅まで向かう。その道中は、バールは車体に縛りつけておいた。

都心に向かう電車は空《す》いていて、暖房が効いていた。座席に座ると下から温かく、つい眠気がさしてきた。これから自分がやろうとしていることそのものが、うたた寝のなかで見る夢のようにも思える。

翼のある〈かいぶつ〉。空をさす、真菜の小さな指。

新宿駅で降りて、曜日も時刻も天候にもかまわず、一年中混雑している改札を抜ける。明るくて暗がりが目立って、洒落《しゃれ》ていて下品で、若々しくて薄汚くて、活気があって疲れている。もっとも繁華街らしい繁華街。繁華街の持つべき要素をすべて持っているから、存在そのものが混沌《こんとん》としている。

駅の側からお茶筒ビルを目指すと、真菜のアパートから向かうのとは逆方向になる。孝太郎は道を一本間違えた。西新宿のこのあたりは街の密度が濃くて、鼻先をよぎる空気も、駅前のあたりとは質が違う。いくらか生活感が混じるせいだろうか。

お茶筒ビルの電気は止まっていた。灯りがなく、真っ暗だ。都会の町筋に、こんな闇がぽっかりと固まっているのは珍しいだろう。

孝太郎の心臓が早足で行進を始めた。そのリズムに合わせて足を進める。

昼間、大場と調べたとき、お茶筒ビルの裏手、通用口の前に奇抜なバリケードが設置されていることに、二人して驚いた。大場は、以前ここで不審火が出たことがあるからではないか、と言った。

正面玄関の側には何の障害物もなく、観音開きの扉のところまですんなり行くことができた。但《ただ》し、行くだけだ。そこから中には入れない。施錠がしっかりされているし、ドアの取っ手に太いチェーンが巻きつけてある。

お茶筒ビルの側面をすり抜けると、通用口の側に回ることができた。ただ、孝太郎でも本当に身体《からだ》を横にしないと通ることができず、大柄な上に腹が出っ張っている大場には無理だった。そして通用口も、当然のことながら施錠されていた。唯一《ゆいいつ》の救いは、防犯カメラやセキュリティ装置らしいものは見当たらないことだ。

今夜も孝太郎は、ビルの側面をすり抜けて通用口に回った。午後十時五分前。予定より少し遅れてしまった。

裏通りは人影も少なく、通り沿いに並んでいる飲食店も、既に閉店しているところが多い。それでも、この先は人に見咎《みとが》められたら言い訳が面倒になるので、孝太郎は身を低くして息を潜めた。

　ニュース番組で紹介されていた外国人窃盗団の手口はとにかく力押しで、こじ開けられたドアは無惨《むざん》にねじ曲がっていた。

——オレの腕力でできるかな。

　父・孝之が昔、「テレビで観たことを何でも真似してみるのはバカだ」と言っていたことを、不意に思い出した。理由と動機はどうあれ、こんなことをするのは後ろめたいし、怖いからだ。

　傘袋からバールを取り出し、握りしめる。手袋をはめていても、その感触は冷えきっていて硬い。こじ開けるのは、蝶番《ちょうつがい》のある側だっけ。それともノブのある側か。けっこう厚みのありそうな、ドアだったよな——

　確かめるつもりで押してみると、ドアは音もなく数センチ内側に動いた。

　鍵が開いている。

　孝太郎の心臓は一気に縮み上がり、頭のてっぺんまで駆けのぼって、脳みそに代わってそこでどくんどくんと打ち始めた。

　やっぱりこのビルは、夜になると人が出入りしているんだ。

もう少しドアを押してみる。二〇センチほど開いた。建物の内部の闇《やみ》が見える。

背後の裏通りを車が通りかかった。孝太郎はとっさにしゃがみこんだ。真冬だというのに窓を開けて走っているのか、派手な音楽を振りまきながら車は通過していった。

孝太郎は息を切らしていた。出し抜けに、今立ち上がったら誰かに目撃されるような気がしてきた。両膝と両手を地面について、這うようにしてドアの隙間に頭を突っ込む、肩でドアを押し開ける。

お茶筒ビル。正式な名称は西新宿セントラルラウンドビルだそうだ。現在の住人は闇と埃《ほこり》とカビ。鼻先にツンと臭《にお》う。

建物のなかに入り込んでしまうと、孝太郎は膝立ちになり、背中を押しつけてドアを閉めた。かたん、と音がした。

外観と同じく、一階フロアも円形だ。まだ懐中電灯をつけてないのに見える。外壁に点在している小さな窓が、明かり取りの役目を果たしているからだ。都内には街灯のない場所は少ない。日常では意識しないけれど、あの光はけっこう頼りになるのだ。

外から覗《のぞ》いたときの方が、真っ暗に見えた。ほっとしたような、かえって薄気味悪いような、騙《だま》されたような気分だ。

だだっ広い円形のフロアに、家具や備品の類いは見当たらない。ゴミもない。以前に小火《ぼや》があったというから、そのとき焼けてしまって撤去されたのか。

内周に沿って、ぐるりと階上に続く階段がある。ツイてるじゃないか。うろうろ探す手間が省けた。

背中のリュックを背負い直し、懐中電灯はダウンジャケットのポケットに突っ込み、右手にバールを持って、ゆっくりと階段へ踏み出した。

ステップをのぼる。勾配《こうばい》が緩い。カビ臭さが辛《つら》くて口で呼吸すると、室内だというのに自分の息が白く見えた。

風が吹き込んできてる？　鼻先に冷たい空気の流れを感じるような気がする。

階上に、誰かいるんだ。そして、どこかで窓が開いている。

二階に到着。この階の窓は一階のよりも大きい。なのに一階よりも暗い。外の街灯と窓との位置関係のせいだろうか。

バールを左手に持ち替えて、右手で懐中電灯を取り出し、スイッチを入れた。丸い光の輪ができる。そのなかに脚が見えた。一瞬ぎょっとして縮みあがり、すぐにテーブルの脚だと気づいて、笑い出しそうになった。丸テーブルだ。二つある。それと、奥の壁際《かべぎわ》にカウンターがある。店舗の造作《ぞうさく》だろうか。

壁に背中をつけて、孝太郎はゆっくりと息を整えながら耳を澄ませた。何か聞こえないか。物音、人の声、風の音。

また、鼻先に隙間風。階段の上の方から吹き下ろしてくる。

懐中電灯を消し、三階へ向かう。ここまでは階段の真ん中をあがってきた。それじゃ甘い。階段の左端に寄り、背中の半分を壁にこすりつけるようにしながら、一歩一歩のぼってゆく。

三階フロアは二階よりもさらに暗い。踊り場の先が見えない。闇が溜《た》まっている。街灯より高い位置にあるからか。窓が無いのか。それともほかに理由が？

脳のあるべき場所に居座ったままの心臓が、またぞろどくんどくんと騒ぎ始めた。ひとつどくんと打つたびに、パソコンで検索をかけたときに想像した光景が、フラッシュバックのように閃《ひらめ》く。山積みにされたホームレスの死体。血を抜きとられた白い顔。投げ出された手足。

想像力過多。懐中電灯をつけた。

このフロアが暗いのは、パーティションで仕切られているからだった。階下と違って居室の仕様だ。

——ここで人が死んだって、書き込みがあったよな。

オーナーの青年実業家の愛人だか元恋人だかが変死したのだ。殺人の疑いもあったのに不問にふされてしまった、とか。

懐中電灯が投げかける光の輪のなかに、おかしなものは見えなかった。床にも、壁にも、天井にも。ただの廃ビル。使われていない空っぽの部屋——

今、上で足音がしなかったか？

指先を動かして懐中電灯を消し、闇が戻るのと同時に手近のドアの陰に隠れた。そのまま身を固くして様子を覗《うかが》う。

このビルは四階建てだ。あともう一フロア。行ってみないことには話にならない。

孝太郎はぎくしゃくと動き出した。懐中電灯を足元に向け、滑稽《こっけい》なほど強く壁に背中を押しつけて、ずりずりとステップをのぼってゆく。

四階も暗かった。そして寒い。明らかに外気が入り込んでいる。

懐中電灯を向けてみると、すぐに重そうな扉が見えた。ここも居室か？　いや、フロアの半分以上は空《あ》いている。部分的に仕切られているだけらしい。

光の輪のなかに浮かび上がったものを見て、孝太郎は息を止めた。

梯子だ。四階の天井に通じている。そこには上げ蓋があった。今は閉じている。梯子をおろし、のぼっていって上げ蓋を上げ、屋上へ出る。そういう仕掛けになっているらしい。

さっきは上げ蓋が開いていたんだ。だから風が吹き込んできて寒かった。

孝太郎はゆっくりとリュックをおろし、足元に置いた。

梯子をのぼろうか。上に人が――

いや違う、今、ここにいる。

気配を感じて振り向こうとした瞬間、バールを握っていた左手首を叩かれた。音をたててバールが落ちる。ついで、あっさりと右腕を捻《ね》じあげられ、向かいの壁へと突き飛ばされた。顔が壁に激突し、鼻がへしゃげた。

「痛い！」

我ながら間抜けだと思うが、とっさにそれしか言えなかった。こんな暴力を受けたのは生まれて初めてだ。

「イタ、イタ、痛いってば！」

気がついたら、右腕を捻じあげられたまま、背中に硬い棒を押しつけられていた。正確に言うなら左右の肩胛骨《けんこうこつ》を押さえられているのだ。たったそれだけで、自由なはずの左手さえうまく動かせない。バタバタさせても宙を摑《つか》むばかりだ。顔の半分が壁に密着しており、鼻ばかりか左の頬骨がごりごりする。

「何すンだよ、痛いじゃないか！」

口も半分壁に塞《ふさ》がれているから、不自由だ。精一杯声を吐き出して抗議した。

ん？　というような反応が、背後から返ってきた。

「何だ、ガキじゃないか」

背後の声は、おっさんだ。

「おまえさん何者だ？　ここで何してる」

弱気になっちゃいけない。孝太郎は声を張りあげた。「そっちこそ何者だよ！」

背後の声は落ち着き払っている。「先におまえさんが答えろ。こんな物騒なもん持って、何しにきたんだ」

そう問いかけて、背後のおっさんの声は、孝太郎の背にあてた硬い棒を、さらにぐいとひと押しした。肺から息が絞り出されて、孝太郎はゲェッと呻《うめ》いた。これ、オレのバールだ。

「こ、答えるから、ちょっと手を緩めてくれませんか」

ここはやっぱ丁寧に出た方がいいんだろうな。それに、このおっさん、そんなにヤバそうな感じはしないんだけど……それって希望的観測に過ぎないかな。

「僕、ガキじゃありません。あ、一応未成年ですけど」

意外なことに、背後のおっさんの声は笑った。「一応ってのは何だ、一応ってのは」

「ですからその、大学一年です。もうガキじゃないけど、法律上はまだ保護してもらわないとならない歳《とし》じゃないのかな」

「学生証持ってるか」

「リュ、リュックのなかです」

「この体勢じゃどうにもならんな」

「そうですね。だから離してくれませんか」

「何でバールなんか持ってる？」

「ここのドアをこじ開けようと思ったんです。通用口のドア。でも鍵が開いてたから」

背後のおっさんがため息をついた。「閉めときゃよかったよ」

やっぱり、このおっさんがドアの鍵を開けたんだ。

「オレ、盗みとかしようと思ってきたんじゃありません。人を捜しにきたんです」

「人を捜してる？」

「そうです。僕と同じ大学生で——」

背中を圧迫されながら壁に向かって声を出しているので、すぐ息苦しくなってしまう。孝太郎が息継ぎをしているあいだに、背後からおっさんの声が問いかけた。

「その大学生、ひょっとして〈森永〉って名前じゃないか？」

驚きで、せっかく吸い込んだ息が止まってしまった。

「そうです！」

このおっさん、森永さんを知ってる！

背中に押し当てられていたバールの感触が消えた。右腕も自由になった。孝太郎はずるずるとその場にしゃがみこみ、喘《あえ》ぐように呼吸した。途中からむせて咳《せ》き込んでしまった。

孝太郎の懐中電灯は、梯子の足元に転がっている。扇形の光が床を舐《な》めている。おっさんは灯りを持っていないのか。

「あ痛たたた」

今度はおっさんが声をあげた。黒い人影が前屈《まえかが》みになり、耐えかねたようにうずくまってしまう。

「まったく、俺はもう、こんな荒っぽいことができる歳じゃないんだよ」

やっと普通に呼吸ができるようになったが、まだ壁にもたれたまま、孝太郎はおっさんを観察した。ダウンジャケットで着ぶくれているし、手袋をはめている。中肉中背より、ちょっと太めか。けっこうなおっさんだ。いや、あんなに腰を曲げちゃってるところを見ると、じいさんなのかも。

「だ、大丈夫ですか」

　じいさんもしくはおっさんは、手にしたバールを床に突っ張って、かろうじて身体を支えている。痛そうに唸《うな》っている。

「怪我《けが》したんですか？　オレ、何もしてませんけど」

「ちょっと、肩貸してくれ」

　じいさんもしくはおっさんは、空いた手を孝太郎の方に伸ばしてきた。

「梯子の下に段ボールを敷いてあるだろ。あそこへ座らせてくれ」

　言われてみて気づいた。確かに、梯子の下に何枚か段ボールを重ねてある。

「もしかして、ここに住んでるんですか？」

「バカ言うな。いいから早く肩を貸せ」

　一喝されて、孝太郎はおそるおそる壁から離れ、おっさんもしくはじいさんに近づいた。肩を貸すと、おっさんもしくはじいさんは孝太郎にすがって立ち上がり、杖《つえ》がわりにしていたバールを床に置いた。硬い金属音がした。

「バールでドアをこじ開けるなんて手口、どこで覚えた？」

「テレビで観たんです」

壁際から梯子の下まで、たかだか数メートルだと思うが、おっさんもしくはじいさんは一度に半歩しか足を出すことができず、二人はのろのろと進んだ。

「やったことはありません。ホントです」

「テレビじゃろくなことを教えんな」

動作はこんなふうだが、孝太郎はこの人はやっぱりおっさんだと認識し直した。老人というほど弱ってはいない。声に張りがあるし、身体もがっちりしている。

「そこでいい。座らせてくれ」

おっさんはまた唸り声をあげ、段ボールの上に腰をおろし、ごろりと横になった。けっこう重かった。やっぱり老人じゃない。たった今怪我をしたわけでもない。かなり辛そうだけれど、持病だろうか。

「あのぉ」

突っ立って見おろすのも何だから、孝太郎もしゃがみ込んだ。おっさんの額には冷汗が浮いている。

「関節炎ですか。それとも椎間板《ついかんばん》ヘルニア」

おっさんはうるさそうに顔をしかめて返事をしない。半眼になっている。

「救急車を呼びましょうか」

「そんな騒ぎになっちゃ、私は困る。おまえさんも困るんじゃないか」

「でも……」

「私ら二人とも、立派な不法侵入をやらかしてる」

「僕は鍵が開いてたから入ってきただけで」

ひとつ深く息をつき、手袋をはめた片手を上げて、おっさんはちょいちょいと指を動かした。

「学生証」

「あ、はい」

素直にリュックのポケットから取り出し、手渡した。

「照らしてくれ」

孝太郎は懐中電灯をおっさんの手元に向けた。半眼ではなくなったが、片目をつぶっている。まだ痛むのだ。背中か腰か、膝《ひざ》かな。

「三島孝太郎君」

まさか君付けにしてもらえるとは思っていなかった。

「はい」

「森永君とはどういう関係だ？」

「あなたは森永さんを知ってるんですね？」

「どういう関係だ？」

ちょっと威圧感がある。

「――バイト先が一緒なんです」

「どんなバイトだ」

「クマーという会社ですけど」

何だそりゃ、という顔をされた。こういうときには不便な社名だ。

「僕と森永さんは、サイバー・パトロールをしてたんです」

「ああ、ネットの情報管理会社か」

へえ。意外とわかってるおっさんだ。

「で？　君はさっき、森永君を捜してると言ってたな。彼は今どこにいるんだ」

「どこにいるかわからないから捜してるんですよ。行方不明なんです」

おっさんは両目を開いた。驚いている。

「何だって？」

「森永さん、一昨日《おととい》の夜から行方がわからないんです。それで、あの」

おっさんの驚愕《きょうがく》ぶりに、孝太郎は少し怖くなってきた。なぜそんな険しい顔をするのだろう。

「スマホだけ、この近くで見つかったんですけど、地面に落ちてて、壊れてて」

「捜索願は？」

「出てるはずです。彼、北陸の人なんですけど、お父さんが上京してくるくらいの騒ぎになってるから」

孝太郎の学生証を手にして、おっさんはさらに険しい表情になった。

「そっちに機械室がある。扉が見えるだろ」

横になったまま、学生証をひらりと動かして指図した。

「扉の内側に、私の荷物を置いてあるんだ。持ってきてくれよ」

またも孝太郎は素直に従った。古ぼけたボストンバッグで、けっこうな重量がある。

「これは返す。しまっとけ」孝太郎に学生証を返すと、「起こしてくれ」

孝太郎が手を貸し、おっさんは段ボールの上に座った。ふう、と息を吐《つ》く。ボストンバッグのファスナーを開け、なかから水筒を取り出す。

ちらりと見えた。バッグにノートパソコンが入っている。またまた意外だ。この年代で、ノートパソコンを持ち歩く習慣がある人は、まだ珍しいんじゃないか。だからサイバー・パトロールという言葉もすぐ理解したのだ。

「三島君」

目をやると、おっさんは水筒の水で何か錠剤を飲んでいた。

「痛み止めだ。十分ぐらいで効いてくる」

おっさんは錠剤のシートをボストンバッグのポケットにしまった。

「そうすると、私ももう少し頭が働くようになるからな。それまでは君がしゃべってくれ。森永君のフルネームは？」

「森永健司《けんじ》です」

大学三年で、専攻は土木学科であることも言い添えた。「真面目《まじめ》な人です。大学院に進むんで、勉強してました」

おっさんはうなずいて、孝太郎の方に水筒の尻《しり》を向けた。「飲むか？　白湯《さゆ》だぞ」

よほど物欲しそうに見えたのだろう。実際、孝太郎には誘惑的な湯気だった。身体の芯《しん》から冷えている。

「いえ、結構です。すみません」

おっさんは水筒をボストンバッグに戻した。

「私が知ってる限りじゃ、森永君は行方不明になっている老人を捜していたはずだ」

そこまで知っているのか。

「その彼が、なんで行方不明に？」

「森永さんとはいつ会ったんですか？　どこで――」

「まだ十分経《た》たないから、頭が働かない」

鈍い生徒を叱《しか》るような口調だった。懐中電灯ひとつを頼りに、青白く見えるおっさんの顔と声音に、孝太郎はふと、小学校のときのＰＴＡ会長を思い出した。地元の建材会社の社長で、校長先生よりも押し出しがよく、強面《こわもて》で発言力もあった。

鼻先に、運転免許証が突き出された。

「私のだ」

手に取って、懐中電灯で照らした。都築茂典。写真の顔は、今より少し引きしまっている。

「近所に住んでる」

孝太郎はうなずいた。住所は西新宿の若葉町だ。

「生年月日をちゃんと見たか？　六十三歳だよ。君の祖父《じい》さんでもおかしくない。労《いたわ》って、敬意を持って接するように」

ここまでの短いあいだでも、労ってはいると思う。

「脊柱管狭窄《せきちゅうかんきょうさく》症なんだよ」

「は？」

「関節炎でもヘルニアでもない。ほかに持病はない。その気になれば、今夜のうちにもういっぺんぐらいは君と渡りあえる。また壁に押しつけられたくなかったら、とっとと話してくれ。いったいどんな事情があって、君はここにいる？」

逡巡《しゅんじゅん》する孝太郎に、都築というおっさんは続けた。「私は町内会で防犯を担当してる」

ご町内の防犯係って、こんなアグレッシブな活動をするものなのか。

「なぜかというと、元刑事だからだ。本庁で働いたこともある」

出任せには思えなかった。このおっさんから漂ってくる威圧感の理由はそれか。ＰＴＡ会長どころじゃない。

「君が信じようが信じまいが事実だから言っとくが、私は永年、強盗犯や殺人犯や放火犯を相手にしてきた。そういう連中に共通する要素が何だかわかるか」

孝太郎は黙ってかぶりを振った。

「嘘《うそ》つきだということだ」と、都築というおっさんは言った。「だから私は嘘つきを扱い慣れている。君が嘘をついたら、私にはわかる。いいな？」

孝太郎はうなずいた。「わかりました。けどオレ——いいえ、僕は嘘をつこうなんて思ってません。ただ、突飛な話だから」

都築元刑事が眉《まゆ》を寄せて目を細めた。

「まず、これを見ていただけませんか」

孝太郎はリュックを引き寄せると、自分のノートパソコンを取り出した。邪魔な手袋を外し、手早く起動して、真菜が描いた〈かいぶつ〉の絵を表示し、都築の方に向けた。

パソコンの液晶画面の光を浴びて、都築の顔が浮かびあがった。さっきと同じだ。驚いている。混じりっけなしの驚愕。

「ここの屋上のガーゴイル像と関係あるんじゃないかって気がして」

都築の目はまだ画面に釘付《くぎづ》けだ。「これ、誰が描いたんだ？」

驚愕に、興味も加わった。孝太郎はぐっと気が楽になった。このおっさんは、なぜかわからないが自分と同じ筋を追っている。

ここまでの経緯——森永から〈保険〉になってくれと頼まれたところから、今日の午後にこのビルを見つけるまでの出来事、出会った人びと、耳にした話、すべて順番に語っていった。途中から寒さに身体が震え始めたので、両腕で自分の身体を抱いた。ポケットに入れてある使い捨てカイロでは、気休め程度にしかならない。

　孝太郎がひととおりの説明を終えると、都築はまた水筒を差し出した。今度は有り難くいただくことにした。手が震えてこぼしそうになった。

「消えたのは、リヤカーじいさんだけじゃなかったのか……」

　都築が呟《つぶや》く。「猪野幸三郎さんは、近所じゃリヤカーじいさんと呼ばれていたんだよ」

　水筒のなかの白湯はまだ熱く、孝太郎の胃に染《し》みいった。

「でも警察は――この程度のことじゃ動いてくれないって」

「まあ、そうだな」

　少し、バツが悪そうな口調だった。痛み止めが効いてきたのか、先ほどまでより楽な姿勢で座っている。

「そうすると君は、ミニＦＭ局や〈カドマ珈琲《コーヒー》店〉には行ってないんだな？」

「どこであれ、森永さんの跡を追いかけるのはやめとけって、上司に止められました」

「いい判断だ。捜査が始まればかえって邪魔になるし、下手をすると君が疑われる羽目になったかもしれない」

　今さらながら、孝太郎は首を縮めた。

「この絵だけを手がかりに、ここにたどり着いたのか」

都築は真菜の〈かいぶつ〉に目をやる。

「鼻が利《き》くんだな」

褒められたのかな。

「褒美《ほうび》に、いいものを見せてやろう。梯子《はしご》をのぼって屋上を覗《のぞ》いてごらん」

孝太郎は天井の上げ蓋《ぶた》を仰いだ。

「あの上げ蓋は、下げてあるだけで完全に閉めてない。きちんと閉めてしまうと、開けるときにけっこう大きな音が出るから」

だから凍えそうなほど冷えているんだ。

「そっと覗け。充分に注意して。この時間はまだまわりのビルや看板の灯りがついてるから、懐中電灯を使わなくても見える」

孝太郎が立ち上がると、さっきはずした手袋が足元に落ちた。両手に息を吹きかけて擦り合わせてから手袋をはめ直し、思い切って梯子の横木を摑んだ。

のぼっていって上げ蓋を持ち上げる。思っていたより軽く、ちょっと叩いたらへこんでしまいそうな上げ蓋だ。その分、都築が言ったとおりに掛け金は頑丈そうだ。

そろりそろりと頭を出す。両目から上を屋上に覗かせたところで、下から都築が言った。

「ガーゴイルがあるのは左側だ」

　首を巡らせ、孝太郎は左側を向いた。

　西新宿の街の夜景が、お茶筒ビルの屋上全体をうっすらと照らしていた。夜気は鼻の奥に突き刺さるほど冷たく、たちまち涙がにじんでくる。

　ガーゴイル像はない。片手で上げ蓋を支えたまま、屋上に頭を出して周囲を見回す。

　やっぱりない。円形の屋上のどこにも見当たらない。

「ないです。ないけど――」

　そのへんにごろごろ転がっているものは何だ？

「あれ、何ですか」

　下から都築が答えた。「像の破片だ」

「え？　じゃあ壊されちゃったんですか？」

　上にのぼろうとした孝太郎のジーンズを、都築が引っ張った。「降りてこい」

　上げ蓋を戻し、梯子は途中から飛び降りた。

「オレ、じゃない僕、今日の午後、あの像を確認したばっかりなんですよ。写真も撮りました」

「そうだろうな。昼間はちゃんとあるんだ」

「いつ壊されたんです？」

「さあ、いつかねえ。去年の暮れ、クリスマス前に私がここに来たときには、もうあんなふうにバラバラになっていた」

今度は孝太郎が眉をひそめ、目を細める番だ。何だって？

「興味深いだろう」

都築は、森永と同じ台詞《せりふ》を吐いた。

「実に奇妙なんだ。もともとここにあった像は壊されてしまった。で、今は代わりのものがあそこに居座っている」

昼間のうちは、と続ける。「夜になると、その代わりのものはどこかへ行っちまって、いなくなる。今夜もそうだ。私も小一時間前に着いたばかりなんだよ。そのとき既にいなくなっていた。正直、夜のこんな浅いうちからあれが動き出すとは思っていなかったから、驚いた」

あの怪物は空からやってきた。翼を広げてこの屋上に舞い降りた。そして夜になると動き回る。また空を飛ぶのだ。

「オレ、いえ僕」

「オレでいいよ。何だ」

「自分ではちゃんと筋道を立てて考えてるつもりですけど、ときどき、笑っちゃいそうにもなるんです。一人で空回りして、アホな想像をしちゃってるんじゃないかって」

しばし、都築は孝太郎の顔を見据えた。それから言った。「私もまったく同感だよ」

今度はこっちの番だと、元刑事は彼の側の話をしてくれた。

話を聞き終えるころには、孝太郎は凍えきっていた。

「トイレ、行ってきます」

「このビルのは使えないぞ」

「わかってます。すぐ戻ってきます」

懐中電灯を片手に、孝太郎は小走りで階段を降りた。最初のうちは足まで凍えていて、どうかするともつれそうだった。

さっき通ってきたとき、コーヒーのチェーン店を一軒見かけた。幸い、まだ開いていた。さすがは新宿だ。テイクアウトでブレンドコーヒーをふたつ頼み、ポケットの小銭で勘定を済ませると、すぐトイレに行った。

お茶筒ビルからいったん外に出たのは、自然の欲求に急《せ》かされたせいだけではない。

ちょっとでも一人になって考えたかった。都築というあのおっさんには、威圧感と共にけっこうな存在感がある。語る言葉には説得力があった。それに寄りかかって、丸呑《の》みに信用してしまっていいものか。

――オレたち、二人してどうかしちゃってるって可能性も？

あるかもしれないのだから。

――でも、オレにはそう思えない。

一人になっても。街の景色を見ても。いったん日常に戻っても。

店の紙袋を手に外に出る。来た道を引き返し、道路の反対側からお茶筒ビルの外形を仰いでみた。不思議なもので、少し離れた場所から見遣《みや》る方が明るく見える。近づいてビルの足元に寄った方が、暗がりが濃くなる。

四階に戻ると、都築が梯子にのぼり、上げ蓋から外を覗《のぞ》いているところだった。孝太郎の足音に、蓋を下げて降りてきた。

「変化なしだ」

段ボールの上にあぐらをかくと、鼻先で薄く笑う。

「どうだ、頭は冷えたか」

孝太郎の考えなどお見通しだった。

「すみません」

「気持ちはわかるよ。こっちはこっちで、君みたいな子供にあけすけに事情を打ち明けるなんて軽率だったと後悔してたところだ」

孝太郎はちょっと黙ってから、思いついたことを言ってみた。「オレも都築さんも、こんな話を一人で抱え込んでるとしんどいってことじゃないですか」

「そうだなあ」

都築が苦笑いする。孝太郎はホッとした。

「でもやっぱ、都築さんもオレも、少なくとも今までのところは正しい――」

「かどうか、ここで確かめる。それ、コーヒーだな。いくらだ？」

「いいですよ」

「孫みたいな学生におごらせるわけにいくか」

都築は嬉《うれ》しそうに紙コップを受け取った。

「張り込みのときって、水分を控えなきゃいけないんでしょうけど」

「俺はかまわん。膀胱《ぼうこう》がでかい。警官は、たいていそうなるもんだ」

四階の冷え切った暗がりのなかに、コーヒーの香りと淡い湯気が漂う。

「どうして屋上で張り込まないんですか」

「向こうから丸見えなんだよ。屋上には、身を隠すものが何もないんだ」

「段ボールをかぶってれば？」

「かえって目立つだろう」

あのガーゴイル――もしくはそれに擬態しているものに気づかれて、逃げられてしまっては元も子もない。

「どっかこの近所の店とかに頼んで、窓から望遠鏡で監視させてもらったらどうでしょう。その方が、逃げられる危険も襲われる危険も少ないと思うけど」

「じゃ、君はそうしろ」

「僕じゃ伝手《つて》がありません。でも都築さんは地元の人だから」

「俺はもう誰も巻き込みたくないんだ」

素っ気ない言い方だけれど、孝太郎はつと胸を突かれた。そうだった。おっさんに頼まれて窓を見張ってたおばあさんが――

「あの、その、ご町内のおばあさん」

「千草さんか」

「容態、どうでしょうね。町内会長さんに電話してみたらどうですか」

都築は腕時計に目を落とし、指で触れた。灯りがついて文字盤が見える。午後十一時半を回ったところだった。

「とっくに寝てるさ。老人は早寝なんだ」

「……心配ですね」

「それより君、ケータイ持ってるだろ」

孝太郎は自分の携帯電話を取り出した。

「へえ、今時の学生はみんなスマートフォンじゃないのか」

「買い換えるタイミングがなくって」

確かに、クマーでも大学の友人たちのあいだでも、いわゆるガラケーを使っているのは孝太郎ぐらいだ。よく不審がられる。

「ノートパソコンがあれば用は足りますし」

「本物のネット使いはそう言うらしいな。よし、タイマーを合わせよう。三十分に一度ずつ、交代で屋上を覗くんだ」

「じゃ、それぞれ一時間ごとに——午前六時まででいいですか？」

「うん。鳴らすんじゃなくて」

「もちろん、バイブで」

セッティングする孝太郎を、都築はじっと見ている。

「こっちも頼む」と、むっつり言った。

「了解」

つい笑ってしまって、都築の方のセッティングもやった。

「あとはひたすら待つだけですよね」

「張り込みだからな」

「オレ、黙ってると凍っちゃいそうだから、ちょっとしゃべってもいいですか」

「大声を出すなよ」

「はい。それと、段ボールの端っこを借りてもいいですか」

都築はわざとらしくよいしょと唸って脇《わき》に退《ど》いた。冷えるのと硬いのとで、孝太郎の尻には感覚がなくなっていた。

段ボールの上に座り、両手で身体のあちこちをさすった。そうしながら口を開く。

「都築さんの意見はプロの見解だから、いろいろ聞きたいんですけど」

寒さで声がわなないている。

「んと、そうだな。まず、ぶっちゃけ、ホームレスが消えてるってこと、どう思いますか。西武新宿線沿線で起きてる〈失踪《しっそう》事件〉ってのは、仮説にしてもちょっと大胆すぎるっていうか飛躍してるっていうか、ここの猪野さんの件とは一緒にできない

──」

「君もけっこうな世話焼きだが、森永君もそうなのか」

都築の声は落ち着いていて、寒そうでさえなかった。吐き出す呼気は白いのに。

「オレ、世話焼きですかね？」

「自覚はないわけか」

まわりの誰かにそう言われたこともない。ただ、一美にはときどき文句を垂れられる。お兄ちゃんはウザい、と。

「いつごろからネットにはまってるんだ？」

「オレはネット好きじゃないです。今のバイトは、高校の先輩に誘われたから」

「その割には熱心だ」

「やってみたら面白かったんです」

「森永君も？」

「たぶん、そうです」

「ふうん。刑事の真似《まね》事《ごと》も、面白いからやってるのか」

少し嫌味な言い方だった。さっきの「よいしょ」と同じく、わざとだ。それでも孝太郎は、つい口に出してしまった。

「森永さん、子供のころにお父さんが会社をつぶして、一家で夜逃げしたことがあるんですよ。その経験から、ああいう弱い立場の人を放っとけないんです。行方不明になってるのに、誰も捜さないなんて悲しいって」

さっきよりワンテンポ遅く、都築は「ふうん」と応じた。腕組みをほどくと、手袋をはめた両手を擦り合わせ、呼気を吹きかけた。

「君の言うとおり、猪野老人の件と他のホームレスの失踪を真《ま》っ直《す》ぐ結び付けることができるほど材料があるとは、俺も思わんね」

「やっぱり」

「でも、さっき屋上へあがって、まわりを見回してみて気づいたことがある」

「屋上に出ちゃったんですか」

「確かめてみたかったんだ」

駅と線路がよく見える、と続けた。

「ガーゴイル像の位置からだと、ＪＲの中央線は視界を左右に横切って見える。西武新宿線は、左手から北北西方向に延びている。昼間はあんまり目立たないだろうが、夜は照明灯があるからな。道路と違って、電車が走っていないときは、線路の部分はそこだけ筋になって空《あ》いて見えるし、駅舎は、スタート地点からどれぐらい離れたか、距離をはかる目安になる」

つまりいい目印になる、という。

「目印？」

都築は孝太郎の問い返しには答えない。顔もこっちを向いていない。

「今日、いや、もう昨日になるか。千草さんの部屋の窓であのでかい手形を見るまでは、ここで悪さをしているものは、動物だろうと思ってたんだ。外来種の大きな鳥で、肉食の――なんて言うんだ、そういうの」

「猛禽《もうきん》、ですかね」

「そうそう。いるだろ、他所《よそ》の国には」

「だけどそんなもんがこの国に」

「持ち込む奴《やつ》がいたっておかしくない。ペットショップを見てみろ。蛇だのオオトカゲだの、ワニガメだの。井の頭公園の池にワニがいるって大騒ぎになったのは、そんなに昔の話じゃないはずだ」

孝太郎は知らなかった。

「捕獲してみたら、頭の恰好《かっこう》がワニに似た鯰《なまず》だったんだがね。どっちにしろ国産の生きものじゃない。誰かがペットとして持ち込んで、売れなかったのか飼いきれなかったのか飽きたのか、池におっぱなしちまったんだ」

それと似たような事情で、大型の猛禽が一羽、新宿のこのあたりに棲《す》み着いてしまったのではないか――

「妥当な推測だったろう?」

孝太郎にはやや異論がある。「でも、人間を掠《さら》って飛ぶようなサイズの猛禽なんて、海外にもいるかなあ。翼竜じゃあるまいし」

「だからさ、そこんところは」

おっさん、バツが悪そうに鼻筋を掻《か》く。

「掠われたわけじゃなく、襲われてパニックになったリヤカーじいさんが、どこかわかりにくいところへ入り込んじまって、怪我のせいで動けなくなってるとか」

孝太郎は黙っていた。

「バカバカしいか?」

「何でそんなわかりにくいところへ逃げるのかなって」

「空から鳥に襲われたら、誰だって潜ったり隠れたりするんじゃないか」

んん。苦しい。

「なら、君はどう考えてるんだ」

「わかりません。でも鳥じゃないと思う」

都築も腹立たしそうにうなずいた。

「そうだ。今となっては、真菜ちゃんって女の子の描いた絵も、もう鳥じゃねえよな。明らかに人間だ。少なくとも部分的には人間的な生きものだ」

冷気が染みて、自然と涙がにじんでくる。孝太郎は目を細めた。「じゃ、人間が鳥の恰好をして空を飛んで――滑空してる程度かもしれないけど、そうやって上空から舞い降りて悪さをしてる？」

「現時点では、それが妥当な推測その二になるわな」

「スパイダーマンみたいだ」

「ありゃ映画だろう」

「いえ、現実にいるんですよ。あのアメコミの主人公と同じカッコして、高層ビルの壁面をよじのぼるパフォーマンスをするお騒がせ男が。日本人じゃないですけど」

孝太郎のダウンジャケットの胸ポケットで、ケータイが振動した。

立ち上がり、梯子をのぼってそろりそろりと上げ蓋を上げる。異状なし。

思い切って屋上に出てみた。途端に、強い風に吹かれてよろめいた。手で両目をかばいながら、素早く周囲を観察した。

戻って上げ蓋をおろしても、しばらく歯の根が合わなかった。

「ほ、ホントですね」

線路はいい目印になる。西新宿を起点に、北北西に延びる一本の線。

「ここを起点に、あの線に沿って、鳥まがいのイカれたヤツが人を襲ってるんだ」

人間狩りだと、孝太郎は言った。すぐさま、都築の強い声が返ってきた。

「そこまではっきりした表現は、俺の妥当な推測その二のなかには含まれてないぞ」

「でも目印だって」

「だいたいこの推測その二じゃ、昼間ガーゴイル像がここにあることの説明がつかないんだ。君の言う〈イカれた鳥人間〉には、陽のあるうちはここで怪物の像の真似をしてじっと固まってなきゃならない理由があるか？」

それは——そうだけど。

「とにかく、ここで見張って、そいつの正体を突き止めよう」

うなずいて、孝太郎は四階のフロアの床を見回した。目が慣れてきているので、すぐ見つかった。転がっているバールを拾い上げ、足元に置く。持ってきてよかった。いざという時には武器になる。

「まあ、そうビビるな」

笑われた。また心を読まれた感じだ。刑事ってみんなこうなのかな。考えてみれば、さっきからずっと、孝太郎の質問に、おっさんは一度も真っ直ぐ答えていない。別の質問を返すばっかりだった。それも刑事のやり方だって、ドラマか何かで聞いた覚えがある。

「君の先輩や友達は宵っ張りだろう。誰かと連絡がとれないか？　森永君の安否がわかったかもしれない」

言われる前に気づくべきだった。孝太郎は大急ぎで真岐にメールを打った。まるで待ち受けていたかのように、すぐ返信が来た。

〈まだ見つからない　新しい情報もない　今夜はおとなしく寝ろ〉

孝太郎は都築にかぶりを振ってみせた。

それからおのおの一度ずつ、上げ蓋から屋上の様子を覗《のぞ》いた。変化はない。都築は途中、ちょっとうとうとしているようだった。

二度目におっさんの番が来て、梯子から降りてくると、両手でしっかりと口元に蓋をしてから大きなくしゃみをした。

「君の言うとおりだな。黙ってると、なおさら凍える」

孝太郎は寒くて口が凍りついている。

「おい、生きてるか」

「――凍死寸前です」

「しゃべってた方がよさそうだ。君がバイトしてる会社、クマーって、確か社長が女性だよな。山科鮎子《やましなあゆこ》さんだっけ」

フルネームでさん付けだ。このおっさんは他人を呼び捨てにしない。

「よくご存じですね」

「テレビで観《み》たばっかりなんだよ。輝く人物クローズアップとか何とか」

会社に取材に来ていた、例の番組だ。もうオンエアされちゃったのか。

「今度はＮＰＯを立ち上げたって？　そっちの方は君たちとは関係ないのか」

あ、と思った。蕎麦《そば》懐石の店で向き合ったときのことが頭に浮かぶ。会社は巻き込まないと言っていた。

「僕らはノータッチなんです。その番組は、そっちの宣伝ていうか、スポンサー探しのために出演したんだって言ってました。何のＮＰＯなんですか？」

「知らんのか」

「番組、見逃しちゃって」

暗がりのなかで、都築がやや言いにくそうな顔をした。その理由は聞いたらわかった。

「サポート団体なんだよ」

「誰のための？」

「性暴力犯罪の被害者だ」

驚きと共に、山科社長の笑顔が脳裏をよぎる。ついでのように、あのきれいな脚も。

「警察だけじゃ、きめ細かい被害者対応ができないからな。アメリカにはずいぶん前からそういう団体があるんだってな。レイプ・コントロールセンターとかって」

また言いにくそうだった。

「被害者に付き添って病院に行ったり、警察に届け出を出したり、あれこれ世話を焼くんだそうだ」

「〈ケアする〉って言ってください」

「はいよ。何だよ、知らなかったくせに」

都築の口調は穏やかだった。

「うちの社長、そういう人なんです」

社会のために働きたい。困っている人を助けたい。純粋で優しく、行動力があってパワフルだ。そっか、そうだったのか。言ってくれたってよかったのに。手伝えることがあるなら、クマーの部下はみんな手伝うのに。真岐だってきっと同じ考えだ。

「素晴らしい人なんです」

「美人だしなあ」

からかうような抑揚があった。また心を読まれたのかもしれない。

「サイバー・パトロールをしてると嫌でもわかりますけど、ネット社会で女性がその手の犯罪の被害者になる可能性ってすごく高いし、実際いろいろあるんですよ。社長、見かねたんだと思います」

ふうんと、今度は充分に意味ありげに、都築は言った。「尊敬してるんだな、君は」

「で、でも警察としては、そういうの、あんまり愉快じゃないんじゃないですか」

「何で」

「素人《しろうと》がしゃしゃり出てって」

「まったく思わんね。少なくとも俺は」

お上のできることには限りがある、という。

「民間の力を借りた方がスムーズで効果的なことは、民間に任せていい。それがビジネスになろうが、ボランティアであろうが」

「都築さんて、進歩的なんですね」

「この程度の意見に驚く方が、頭が古い」

ちょっと叱られたらしい。

「どんな事件も多少はそういう要素を含んでるが、とりわけ性暴力犯罪の場合は、世間は必ずしも被害者に同情的なわけじゃない」

被害に遭う方にも落ち度があると考える。隙《すき》があったとか、軽率だったとか。

「だから、山科社長がやろうとしているようなことをお上がやるとだな、ぎゃあぎゃあ反対する輩《やから》もいるんだよ。そんなことに血税を使うな、とな」

何にでも文句を言うクレーマーにはムカつくけれど、孝太郎にもわからなくはない。ネット上で無防備に交際相手を求めたり、援助交際――〈ウリ〉の相手を募ったりする書き込みをごまんと見てしまった今となってはなおさらだ。

「民主主義社会じゃ、そういう反対意見も無視できない。なにしろ、こちとら税金から給料をもらってる身の上だ」

不自由なんだ、という。「だから民活は有り難いのさ」

「そんなふうに考えていませんでした」

「君にも他人《ひと》事《ごと》じゃないぞ。こいつは、ネット監視についても同じなんだから。警察がネットを監視するということは、すなわち国家による言論や表現の自由、思想信条の自由の侵害だ、検閲だという主張が出てくる」

「うちにも、そういう抗議が来たことがあるそうですよ。オレは直接には知らないけど」

真岐からちらりと聞いた。「貴様らは国家権力の狗《いぬ》だ」と罵《ば》詈《り》雑言《ぞうごん》。ただしメールで匿名《とくめい》だった。腰抜けのどアホだと、真岐は言っていた。

「しかし美人だよなあ、山科鮎子」

今度は呼び捨てだった。

「ああいう目立つ存在には、風当たりも強いだろう。これから大変だと思うよ」

「部下がしっかりガードします」

笑われた。まあ、好意的な笑いだったからよしとしよう。

それからは数時間、互いに凍死していないことを確認しあう程度に言葉を交わし、じっと寒さに耐えた。屋上の様子に変化はない。翼のある怪物に張り込みを気取《けど》られたのかもしれないと思ったが、口に出して言うと事実になってしまいそうで、黙っていた。

午前四時半。孝太郎が上げ蓋から外を覗いて降りてくると、都築が段ボールの上で立ち上がって肩を回していた。

「どうだ？」

「異状なしです」

「逃げられたかな」

「オレたち、気づかれるような動きはしてませんよね？」

「わからん。千草さんだって――」

言いかけて、打ち消すように首を振る。

「夜明けまでは粘ろう。少し寝ちまったよ。すっきりした」

手袋を嵌《は》めた手で顔を擦り、都築は梯子に寄りかかって座り直した。孝太郎も、おっさんと背中合わせになる位置で座り込んだ。

「もし、この件が本当に事件だったら、〈指ビル〉よりも被害者の数が多いですよね」

言ってから注釈を加えようとしたが、都築は知っていた。「ネットじゃ、〈指切りバッファロウ・ビル〉と呼ばれてんだってな。あの犯人は」

忌々《いまいま》しげな口調だった。

「どんなヤツだと思いますか」

返事はない。退官したとはいえ、刑事がこういうネタについてぺらぺら論評するのはよろしくないと思っているのか。訊《き》かなきゃよかったかな。

と、都築が低く言った。「ヤツじゃない。ヤツらだ」

「え？」

「複数犯だよ。一人の仕業とは思えない」

「でも、殺害方法もほとんど同じだし、身体の一部を切り取るっていうやり方は――」

「遺体にそういうしるしを残そうと、申し合わせているのかもしれない」

「何のために？」

「わからん」

さっきの「わからん」よりも重たい。

「どうして一人の仕業と思えないんですか」

こちらに背中を向けたまま、都築は深くため息をついた。

「どのみち、今日あたりからテレビ番組で誰かしら言い出すだろう。最近じゃ、退官刑事がよく事件検証をやってるからな」

それを是としているのか非なのか、口調だけではわからなかった。

「苫小牧の被害者は居酒屋の経営者だ。三島の被害者も飲食店のママ。常連客に懐《なつ》かれていた」

孝太郎は都築の背中にうなずいた。

「戸塚の被害者は薬剤師だ。で、この三人とも、見ず知らずの人間に無理矢理連れ出され、殺されたんじゃない」

面識のある人間の仕業だ、という。

「苫小牧の店主も、三島の真美《まさみ》ママも、店を閉めてから帰宅するまでのわずかな時間に殺されている。戸塚の薬剤師も、仕事を終えて自宅に帰る途中で犯人に遭遇したと見て間違いない。彼女はいつも通勤に使っているバス停に向かう途中で消えた。目撃情報が少ないところからして、そのどこかで車に乗せられたんだろう」

犯人は被害者の生活パターンを知っている。そして彼らに近づき、挨拶《あいさつ》して、警戒されない生活圏内にいる人間だ。

孝太郎は想像してみた。犯人がにこやかに被害者に声をかける。こんばんは。お疲れさま。よかったら乗っていかない？　あるいは、乗せてくれない？　そして車のドアが開く。

三島の被害者は、そうやって自分の愛車のなかで殺害された——

「一人の人間が、たかだか半年ぐらいのあいだに、苫小牧、三島、戸塚と移動して生活の拠点を築き、性別も仕事も立場もバラバラの三人と、そこまで親しくなることなんかできると思うか?」

「でも、三人とも接客する仕事ですよ。お客と親しくなりませんか」

「居酒屋やスナックと薬局じゃ、客との接し方がまったく違うよ。距離感も違う」

水商売の経営者なら、夜の帰り道で馴染《なじ》み客に会い、「送ってってよ」あるいは「送ってってあげるよ」と言われて車に乗ったり乗せたりすることもあり得るだろう。

だが、

「戸塚の小宮佐恵子は、三歳の子供の母親だ。保育園に子供を迎えに行く途中だった。そんなときに寄り道したり、薬局で顔見知りになっている程度の客――この場合は患者だろうが、そんな奴に誘われてついていったりするもんか。あるとしたら、同じマンションの住人か、同じ保育園に子供を預けている保護者に誘われた場合ぐらいだろう」

――一緒に行きましょう。

「秋田の被害者はいまだに身元がわからない。だが、わからないということ自体がひとつの情報だろう。旅行者かもしれないし、転居してきたばかりなのかもしれない。で、何かしら事情がある」

「事情って」

「世間を憚《はばか》る立場だということだ。この被害者も、あるいは水商売の女性かもしれない」

「あ、じゃ不倫旅行とか、愛人とか」

だとしたら、相手はやっぱり客だろう。

「こういう四人の人間に、短期間にこんな形で親しく接近するなんて、一人の人間にはとうてい不可能な技だよ」

　孝太郎は膝《ひざ》を抱き、しばらく考えた。

「でも、ネットなら？」

　都築は頭だけちょっとこっちへ動かして、首を振った。「被害者たちには繋《つな》がりはない。ネット友達？　いやブログ仲間か。で、共通の知り合いがいた？　それもない。あったら、いくら何でもどっかの特捜本部が突き止めてる。パソコンやケータイを調べりゃ一発だ」

「いえ、違います。オレが言ってるのは犯人のことですよ」

　都築が怪訝《けげん》そうに振り返った。

「被害者の四人には繋がりがない。ただ、それぞれに犯人とは繋がりがあった。別個に、ネットを通して」

簡単ですよと、孝太郎は言った。「ネットのなかなら、現実の距離は無関係です。仕事や立場も障害にはならない。短期間でこの四人と知り合いになって、親しくなって」

――たまたま仕事で近くに来てるんだけど、会えませんか？

「口実は何でもいいんですよ。オフ会みたいに改まった場でなくたっていい。秋田の被害者の場合はわからないけど、でもあとの三人とは、そうやって知り合いになることは充分に可能だと思います」

「北海道と静岡と神奈川だぞ」

「みんな国内でしょ。そりゃ苫小牧はちょっと遠いけど、でも、ここで問題なのは現実の距離感じゃありません。気持ちの距離感ですよね。ネット仲間って〈近い〉んです。犯人が一人だってカバーできますよ」

都築は呆《あき》れたように孝太郎を見ている。

「それだって、犯人と被害者がやりとりしてりゃ、パソコンやケータイに痕跡《こんせき》が残るだろう？」

「そんなもの、消せますよ。犯人にスキルとソフトさえあれば、遠隔操作で消せる」

何か言おうとして、都築が止まった。手で孝太郎を制する。顔はそのまま、目玉だけ動かして梯子の上、上げ蓋を見た。

孝太郎もそうした。囁《ささや》いた。「何か？」

「動いた」と、都築も囁く。「何か動いた。上を通り過ぎた」一瞬息を止めてから、孝太郎は梯子につかまって立ち上がった。「覗いてみます」

「俺が行く」

「都築さんじゃ動きが鈍い」

バールをつかみ、梯子に足をかける。

「そんなもの、置いてけ」

「用心のためです」

慎重に上げ蓋を持ち上げる。まだ外は夜だ。でも少しだけ朝の気配が混じってきている。午前五時を過ぎた。

屋上には誰もいない。もとのガーゴイルの破片が転がっているだけ。風が強い。上げ蓋を開け、孝太郎は屋上に半身を出した。ついで、思い切って梯子をのぼりきった。上げ蓋のすぐ脇に立つ。身体《からだ》が固い。

ぐるりと見回す。異状なし。ただ北風が鳴っている。こんな時刻でもついているネオンが色あせて見えるのは、夜の闇《やみ》が後退しているからか。

都築が上げ蓋から顔を出し、孝太郎を仰いだ。「おい、早く戻れ」

「大丈夫ですよ。何もいません」

「しかし——」

言葉の途中で、都築の目が広がった。口が開いた。白い顔で孝太郎を見つめている。

いや違う。孝太郎を見ているのではない。孝太郎の背後を見上げている。

ゆっくりと、首の関節が軋《きし》む音が聞こえそうなほどゆっくりと、孝太郎は後ろを振り返った。

（中巻につづく）

宮部みゆき著

英雄の書（上・下）

中学生の兄が同級生を刺して失踪。妹の友理子は、〝英雄〟に取り憑かれ罪を犯した兄を救うため、勇気を奮って大冒険の旅へと出た。

宮部みゆき著

レベル7《セブン》

レベル7まで行ったら戻れない。謎の言葉を残して失踪した少女を探すカウンセラーと記憶を失った男女の追跡行は……緊迫の四日間。

宮部みゆき著

返事はいらない

失恋から犯罪の片棒を担ぐにいたる微妙な女性心理を描く表題作など6編。日々の生活と幻想が交錯する東京の街と人を描く短編集。

宮部みゆき著

龍は眠る

日本推理作家協会賞受賞

雑誌記者の高坂は嵐の晩に、超常能力者と名乗る少年、慎司と出会った。それが全ての始まりだったのだ。やがて高坂の周囲に……。

宮部みゆき著

本所深川ふしぎ草紙

吉川英治文学新人賞受賞

深川七不思議を題材に、下町の人情の機微とささやかな日々の哀歓をミステリー仕立てで描く七編。宮部みゆきワールド時代小説篇。

宮部みゆき著

魔術はささやく

日本推理サスペンス大賞受賞

それぞれ無関係に見えた三つの死。さらに魔の手は四人めに伸びていた。しかし知らず知らず事件の真相に迫っていく少年がいた。

宮部みゆき著

理　由

直木賞受賞

被害者だったはずの家族は、実は見ず知らずの他人同士だった……。斬新な手法で現代社会の悲劇を浮き彫りにした、新たなる古典！

宮部みゆき著

模倣犯

芸術選奨受賞（一〜五）

邪悪な欲望のままに「女性狩り」を繰り返し、マスコミを愚弄して勝ち誇る怪物の正体は？　著者の代表作にして現代ミステリの金字塔！

宮部みゆき著

あかんべえ（上・下）

深川の「ふね屋」で起きた怪異騒動。なぜか娘のおりんにしか、亡者の姿は見えなかった。少女と亡者の交流に心温まる感動の時代長編。

宮部みゆき著

かまいたち

夜な夜な出没して江戸を恐怖に陥れる辻斬り〝かまいたち〟の正体に迫る町娘。サスペンス満点の表題作はじめ四編収録の時代短編集。

宮部みゆき著

孤宿の人（上・下）

藩内で毒死や凶事が相次ぎ、流罪となった幕府要人の祟りと噂された。お家騒動を背景に無垢な少女の魂の成長を描く感動の時代長編。

宮部みゆき著

ソロモンの偽証

―第Ⅰ部　事件―

（上・下）

クリスマス未明に転落死したひとりの中学生。彼の死は、自殺か、殺人か――。作家生活25年の集大成、現代ミステリーの最高峰。

宮部みゆき著
荒神

時は元禄、東北の小藩の山村が一夜にして壊滅した。二藩の思惑が交錯する地で起きた〝厄災〟とは。宮部みゆき時代小説の到達点。

宮部みゆき著
小暮写眞館（I〜IV）

築三十三年の古びた写真館に住むことになった高校生、花菱英一。写真に秘められた物語を解き明かす、心温まる現代ミステリー。

北村　薫著
スキップ

目覚めた時、17歳の一ノ瀬真理子は、25年を飛んで、42歳の桜木真理子になっていた。人生の時間の謎に果敢に挑む、強く輝く心を描く。

北村　薫著
ターン

29歳の版画家真希は、夏の日の交通事故の瞬間を境に、同じ日をたった一人で、延々繰り返す。ターン。ターン。私はずっとこのまま？

北村　薫著
リセット

昭和二十年、神戸。ひかれあう16歳の真澄と修一は、再会翌日無情な運命に引き裂かれる。巡り合う二つの《時》。想いは時を超えるのか。

北村　薫著
おーなり由子絵
月の砂漠をさばさばと

9歳のさきちゃんと作家のお母さんのすごす、宝物のような日常の時々。やさしく美しい文章とイラストで贈る、12のいとしい物語。

筒井康隆著

旅のラゴス

集団転移、壁抜けなど不思議な体験を繰り返し、二度も奴隷の身に落とされながら、生涯をかけて旅を続ける男・ラゴスの目的は何か？

筒井康隆著

ロートレック荘事件

郊外の瀟洒な洋館で次々に美女が殺される！史上初のトリックで読者を迷宮へ誘う。二度読んで納得、前人未到のメタ・ミステリー。

筒井康隆著

パプリカ

ヒロインは他人の夢に侵入できる夢探偵パプリカ。究極の精神医療マシンの争奪戦は夢と現実の境界を壊し、世界は未体験ゾーンに！

筒井康隆著

虚航船団

鼬族と文房具の戦闘による世界の終わり――。宇宙と歴史のすべてを呑み込んだ驚異の文学、鬼才が放つ、世紀末への戦慄のメッセージ。

筒井康隆著

七瀬ふたたび

旅に出たテレパス七瀬。さまざまな超能力者とめぐりあった彼女は、彼らを抹殺しようと企む暗黒組織と血みどろの死闘を展開する！

筒井康隆著

笑うな

タイム・マシンを発明して、直前に起った出来事を眺める「笑うな」など、ユニークな発想とブラックユーモアのショート・ショート集。

山崎豊子著
花のれん
直木賞受賞

大阪の街中へわての花のれんを幾つも幾つも仕掛けたいのや――細腕一本でみごとな寄席を作りあげた浪花女のど根性の生涯を描く。

山崎豊子著
ぼんち

放蕩を重ねても帳尻の合った遊び方をするのが大阪の〝ぼんち〟。老舗の一人息子を主人公に船場商家の独特の風俗を織りまぜて描く。

山崎豊子著
華麗なる一族（上・中・下）

大衆から預金を獲得し、裏では冷酷に産業界を支配する権力機構〈銀行〉――野望に燃える万俵大介とその一族の熾烈な人間ドラマ。

山崎豊子著
沈まぬ太陽
㈠アフリカ篇・上
㈡アフリカ篇・下

人命をあずかる航空会社に巣食う非情。その不条理に、勇気と良心をもって闘いを挑んだ男の運命。人間の真実を問う壮大なドラマ。

山崎豊子著
白い巨塔（一〜五）

癌の検査・手術、泥沼の教授選、誤診裁判などを綿密にとらえ、尊厳であるべき医学界に渦巻く人間の欲望と打算を迫真の筆に描く。

山崎豊子著
約束の海

海自の潜水艦と釣り船が衝突、民間人が多数犠牲となり批判にさらされる自衛隊……。壮大なスケールで描く国民作家最後の傑作長編。

知念実希人著

天久鷹央の推理カルテ

お前の病気《ナゾ》、私が診断してやろう——。河童、人魂、処女受胎。そんな事件に隠された〝病〟とは？　新感覚メディカル・ミステリー。

知念実希人著

天久鷹央の推理カルテⅡ
—ファントムの病棟—

毒入り飲料殺人。病棟の吸血鬼。舞い降りる天使。事件の〝犯人〟は、あの〝病気〟……？　新感覚メディカル・ミステリー第2弾。

知念実希人著

天久鷹央の推理カルテⅢ
—密室のパラノイア—

呪いの動画？　密室での溺死？　謎めく事件の裏には意外な〝病〟が！　天才女医が解決する新感覚メディカル・ミステリー第3弾。

知念実希人著

天久鷹央の推理カルテⅣ
—悲恋のシンドローム—

この事件は、私には解決できない——。天才女医・天久鷹央が解けない病気《ナゾ》とは？　新感覚メディカル・ミステリー、第4弾。

知念実希人著

スフィアの死天使
—天久鷹央の事件カルテ—

院内の殺人。謎の宗教。宇宙人による「洗脳」。天才女医・天久鷹央が〝病〟に潜む〝謎〟を解明する長編メディカル・ミステリー！

知念実希人著

幻影の手術室
—天久鷹央の事件カルテ—

手術室で起きた密室殺人。麻酔科医はなぜ、死んだのか。天久鷹央は全容解明に乗り出すが……。現役医師による本格医療ミステリ。

小野不由美著

屍鬼（一〜五）

「村は死によって包囲されている」。一人、また一人、相次ぐ葬送。殺人か、疫病か、それとも……。超弩級の恐怖が音もなく忍び寄る。

小野不由美著

月の影 影の海（上・下）―十二国記―

平凡な女子高生の日々は、見知らぬ異界へと連れ去られ一変した。苦難の旅を経て「生」への信念が迸る、シリーズ本編の幕開け。

小野不由美著

風の海 迷宮の岸 ―十二国記―

神獣の麒麟が王を選ぶ十二国。幼い戴国《たいこく》の麒麟は、正しい王を玉座に据えることができるのか――『魔性の子』の謎が解き明かされる！

小野不由美著

東の海神 西の滄海 ―十二国記―

王とは、民に幸福を約束するもの。しかし雁国に謀反が勃発した――この男こそが「王」と信じた麒麟の決断は過ちだったのか!?

小野不由美著

風の万里 黎明の空（上・下）―十二国記―

陽子は、慶国の玉座に就きながら役割を果たせず苦悩する。二人の少女もまた、泣いていた。いま、希望に向かい旅立つのだが――。

小野不由美著

丕《ひ》緒《しょ》の鳥 ―十二国記―

書下ろし2編を含む12年ぶり待望の短編集！希望を信じ、己の役割を全うする覚悟を決めた名も無き男たちの生き様を描く4編を収録。

松本清張著

或る「小倉日記」伝

芥川賞受賞 傑作短編集(一)

体が不自由で孤独な青年が小倉在住時代の鷗外を追究する姿を描いて、芥川賞に輝いた表題作など、名もない庶民を主人公にした12編。

松本清張著

砂の器（上・下）

東京・蒲田駅操車場で発見された扼殺死体！ 新進芸術家として栄光の座をねらう青年の過去を執拗に追う老練刑事の艱難辛苦を描く。

松本清張著

喪失の儀礼

東京の大学病院に勤める医局員・住田が殺害された。匿名で、医学界の不正を暴く記事を書いていた男だった。震撼の医療ミステリー。

松本清張著

天才画の女

彗星のように現われた新人女流画家。その作品が放つ謎めいた魅力――。画壇に巧妙にめぐらされた策謀を暴くサスペンス長編。

松本清張著

黒革の手帖（上・下）

横領金を資本に銀座のママに転身したベテラン女子行員。夜の紳士を相手に、次の獲物をねらう彼女の前にたちふさがるものは――。

松本清張著

松本清張傑作選

戦い続けた男の素顔

―宮部みゆきオリジナルセレクション―

「人間・松本清張」の素顔が垣間見える12編を、宮部みゆきが厳選！ 清張さんの〝私小説〟は、ひと味もふた味も違います――。

山本周五郎著
青べか物語

うらぶれた漁師町浦粕に住みついた〝私〟の眼を通して、独特の狡猾さ、愉快さ、質朴さをもつ住人たちの生活ぶりを巧みな筆で捉える。

山本周五郎著
赤ひげ診療譚

小石川養生所の〝赤ひげ〟と呼ばれる医師と、見習い医師との魂のふれ合いを中心に、貧しさと病苦の中でも逞しい江戸庶民の姿を描く。

山本周五郎著
さぶ

ぐずでお人好しのさぶ、生一本な性格ゆえに不幸な境遇に落ちた栄二。二人の心温まる友情を描いて〝人間の真実とは何か〟を探る。

山本周五郎著
ながい坂（上・下）

下級武士の子に生れた小三郎の、人生という〝ながい坂〟を人間らしさを求めて、苦しみつつも着実に歩を進めていく厳しい姿を描く。

山本周五郎著
日日平安

橋本左内の最期を描いた「城中の霜」、武士のまごころを描く「水戸梅譜」、お家騒動をユーモラスにとらえた「日日平安」など、全11編。

山本周五郎著
人情裏長屋

居酒屋で、いつも黙って飲んでいる一人の浪人の胸のすく活躍と人情味あふれる子育ての物語「人情裏長屋」など、〝長屋もの〟11編。

悲《ひ》嘆《たん》の門《もん》（上）

新潮文庫　み-22-32

平成二十九年十二月一日発行

著者　宮《みや》部《べ》みゆき

発行者　佐藤隆信

発行所　株式会社　新潮社

郵便番号　一六二―八七一一
東京都新宿区矢来町七一
電話　編集部(〇三)三二六六―五四四〇
読者係(〇三)三二六六―五一一一
http://www.shinchosha.co.jp

価格はカバーに表示してあります。

乱丁・落丁本は、ご面倒ですが小社読者係宛ご送付ください。送料小社負担にてお取替えいたします。

印刷・錦明印刷株式会社　製本・錦明印刷株式会社

ISBN978-4-10-136942-6　C019